As ondas

VIRGINIA WOOLF

As ondas

TRADUÇÃO
LYA LUFT

SÃO PAULO, 2023

As ondas
The Waves by Virginia Woolf
Copyright da tradução © 2007 by Lya Luft
Copyright © 2023 by Novo Século Editora Ltda.

EDITOR: Luiz Vasconcelos
TRADUÇÃO: Lya Luft
ASSISTENTE EDITORIAL: Érica Borges Correa
Fernanda Felix
REVISÃO: Edson Cruz • Fernanda Guerriero Antunes
Giacomo Leone • Tássia Caravalho • Bruna Tinti
PROJETO GRÁFICO E DIAGRAMAÇÃO: João Paulo Putini
ILUSTRAÇÃO DE CAPA: Bruno Novelli

Texto de acordo com as normas do Novo Acordo Ortográfico da Língua Portuguesa (1990), em vigor desde 1º de janeiro de 2009.

Dados Internacionais de Catalogação na Publicação (CIP)
(Câmara Brasileira do Livro, SP, Brasil)

Woolf, Virginia
As ondas / Virginia Woolf ; tradução de Lya Luft. --
Barueri, SP : Novo Século Editora, 2023.
224 p.

ISBN 978-65-5561-508-1
Título original: The Waves

1. Ficção inglesa I. Título II. Luft, Lya

23-0564   CDD 823

Índice para catálogo sistemático:
1. Ficção inglesa

Alameda Araguaia, 2190 – Bloco A – 11º andar – Conjunto 1111
CEP 06455-000 – Alphaville Industrial, Barueri – SP – Brasil
Tel.: (11) 3699-7107 | Fax: (11) 3699-7323
www.gruponovoseculo.com.br | atendimento@gruponovoseculo.com.br

O *Sol ainda não nascera. O mar não se distinguia do céu, exceto por estar um pouco encrespado, como um tecido que se enrugasse. Gradualmente, conforme o céu alvejava, uma linha escura assentou-se no horizonte, dividindo o mar e o céu, e o tecido cinza listrou-se de grossas pulsações movendo-se uma após outra, sob a superfície, perseguindo-se num ritmo sem fim.*

Aproximando-se da praia, cada uma dessas ondas erguia-se, acumulava-se, quebrava e varria pela areia um tênue véu de água branca. A onda parava, partia novamente, suspirando como um ser adormecido cuja respiração vai e vem inconscientemente. Aos poucos, a faixa escura no horizonte clareou como se a borra numa velha garrafa de vinho se tivesse acomodado, deixando transparecer o verde de seu vidro. Ao fundo, também o céu se fez translúcido, como se ali baixasse um sedimento branco, ou como se o braço de uma mulher deitada sob o horizonte erguesse uma lâmpada, e faixas brancas, verdes e amarelas se espraiassem pelo céu como as varetas de um leque. Depois, a mulher ergueu a lâmpada mais alto, e o ar pareceu tornar-se fibroso, apartando-se da superfície verde, bruxuleando e chamejando em fibras vermelhas e amarelas, como flamas enfumaçadas que se alçam de uma fogueira. Pouco a pouco, as fibras fundiram-se numa só brasa incandescente, e a pesada cobertura cinza do céu levantou-se e transformou-se num milhão de átomos de um macio azul.

Lentamente, transluziu a superfície do mar, fremindo e cintilando, até que as linhas escuras apagaram-se quase completamente. Devagar, o braço que sustinha a lâmpada ergueu-a mais alto, e uma larga chama apareceu enfim. Um disco de fogo ardeu na fímbria do horizonte e o mar inteiro acendeu-se em ouro. A luz incidiu sobre as árvores no jardim, e suas folhas, tornadas transparentes, iluminaram-se uma depois da outra. Um pássaro trinou no alto; houve uma pausa; outro pássaro trinou mais abaixo. O sol aguçou os contornos da casa e pousou como a ponta de um leque sobre uma cortina branca, deixando uma impressão digital azul sob as folhas próximas à janela do quarto de dormir. A cortina moveu-se de leve, mas, dentro da casa, tudo era penumbroso e sem substância. Fora, os pássaros cantavam sua vazia melodia.

***

– Vejo um anel – disse Bernard – suspenso acima de mim. Treme e balança num laço de luz.

– Vejo uma faixa de pálido amarelo – disse Susan – espalhando-se até encontrar uma listra roxa.

– Ouço um som – disse Rhoda –, *chip, chap, chip, chap*, subindo e descendo.

– Vejo um globo – disse Neville – pendendo como uma pérola nos imensos flancos de uma colina.

– Vejo uma borla vermelho-vivo – disse Jinny – tramada com fios de ouro.

– Ouço alguma coisa batendo – disse Louis. – A pata de um grande animal acorrentado. Bate, bate, não para de bater.

– Olhem a teia de aranha no canto da sacada – disse Bernard. – Há gotas de água nela, gotas de luz branca.

– As folhas se juntaram em torno da janela como orelhas pontiagudas – disse Susan.

– Uma sombra cai sobre a vereda – disse Louis –, como um cotovelo dobrado.

– Ilhas de luz flutuam na relva – disse Rhoda. – Caíram através das árvores.

– Os olhos dos pássaros rebrilham nos túneis entre as folhas – disse Neville.

– Os caules estão cobertos de pelos ásperos e curtos – disse Jinny. – E há gotas de água neles.
– Uma lagarta enrolou-se formando um anel verde – disse Susan –, presa em si mesma com seus pés rombudos.
– O caracol arrasta sua concha cinzenta através da vereda e esmaga as folhas da grama – disse Rhoda.
– E os golpes da luz nas vidraças das janelas relampejam, entrando e saindo dos talos de capim – disse Louis.
– Há pedras frias contra meus pés – disse Neville. – Sinto, separadamente, cada uma delas, redonda ou pontiaguda.
– As costas da minha mão ardem – disse Jinny –, mas a palma está úmida e molhada de orvalho.
– Agora o galo canta como um jorro de água vermelha e dura sobre a brancura da manhã – disse Bernard.
– Há pássaros cantando em cima e embaixo e dentro e fora, por toda a parte ao nosso redor – disse Susan.
– O animal bate as patas; o elefante, com o pé acorrentado; a grande besta pateia na praia – disse Louis.
– Olhem a casa – disse Jinny –, com todas as janelas de cortinas brancas.
– A água fria da torneira da despensa – disse Rhoda – põe-se a escorrer sobre o peixe na bacia.
– As paredes estão rachadas em gretas de ouro – disse Bernard. – E há sombras de folhas azuis, em forma de dedos, sob a janela.
– Agora a sra. Constable está puxando para cima suas grossas meias pretas – disse Susan.
– Quando a fumaça se ergue, o sono sobe do telhado, enovelado como um nevoeiro – disse Louis.
– Primeiro, os pássaros cantaram em coro – disse Rhoda.
– Agora, a porta da despensa foi aberta. Eles saem em revoada. Voam como um jato de sementes. Um deles, porém, canta sozinho na janela do quarto de dormir.
– Bolhas formam-se no fundo da caçarola – disse Jinny. – Depois, erguem-se cada vez mais depressa, até as bordas, numa cadeia de prata.

– Agora, Biddy tira as escamas dos peixes com uma faca denteada, sobre uma tábua – disse Neville.

– A janela da sala de jantar agora está azul-escuro – disse Bernard –, e o ar ondula por sobre as chaminés.

– Uma andorinha empoleirou-se no fio elétrico – disse Susan. – E Biddy despejou o balde nos ladrilhos da cozinha.

– Ouçam o primeiro toque do sino da igreja – disse Louis. – Depois, seguem-se outros: um, dois; um, dois; um, dois.

– Vejam a toalha descendo alva pela mesa – disse Rhoda. – Agora, há sobre ela, em cada lugar, um branco disco de louça e, ao lado de cada prato, listras de prata.

– Subitamente, uma abelha zumbe em meu ouvido – disse Neville. – Está aqui; passou.

– Sinto calor, sinto frio – disse Jinny –, saindo deste sol para entrar na sombra.

– Agora, foram-se todos – disse Louis. – Estou completamente só. Entraram em casa para o café da manhã e deixaram-me parado junto do muro entre as flores. É muito cedo, antes da hora das aulas. Cada flor é uma pequena nódoa nos verdes profundos. As pétalas são arlequins. Caules erguem-se das cavidades negras. Flores boiam como peixes de luz nas águas escuras e verdes. Pego um caule na mão. Sou o caule. Minhas raízes descem às profundezas do mundo, varando a terra seca e a terra úmida, atravessando veios de chumbo e prata. Sou todo fibras. Tremores sacodem-me, o peso da terra pressiona minhas costelas. Aqui em cima, meus olhos são verdes folhas cegas. Sou um menino em calças de flanela cinza, o cinto preso por uma serpente de latão. Meus olhos lá embaixo são os olhos sem pálpebra de uma estátua de pedra num deserto do Nilo. Vejo mulheres que passam com cântaros vermelhos em direção ao rio; vejo camelos balouçando e homens com turbantes. Ao meu redor ouço pisadas, tremores, agitação.

– Aqui próximos, Bernard, Neville, Jinny e Susan (mas não Rhoda) afagam os canteiros com suas redes. Tiram as borboletas das corolas recurvas das flores. Afagam a superfície do mundo. Suas redes estão repletas de asas que tatalam. Gritam: "Louis! Louis! Louis!". Mas não podem ver--me. Estou do outro lado da sebe. Entre as folhas existem apenas diminutos orifícios para espreitar. Ah, Deus, fazei com que passem. Fazei com que deponham suas borboletas sobre um lenço no chão. Fazei com que contem suas borboletas-tartarugas, suas almirantes vermelhas, e as brancas. Deixai-me, porém, permanecer invisível. Sou verde como um teixo à sombra da sebe. Meu cabelo é feito de flores. Estou enraizado no centro da Terra. Meu corpo é um caule. Espremo o caule. Uma gota poreja na cavidade da boca, vagarosa, densa, crescendo cada vez mais. Agora, algo rosado passa pelo orifício. Agora, o raio de luz de um olho desliza pela fresta. O raio incide sobre mim. Sou um menino num traje de flanela cinza. Ela me encontrou. Um toque na nuca. Ela me beijou. Tudo se fragmenta.

– Eu corria depois do café – disse Jinny. – Vi folhas que se moviam num buraco na sebe. Pensei: "É um pássaro em seu ninho". Separei as folhas e olhei, mas não havia pássaro nem ninho. As folhas continuavam a se mover. Fiquei assustada. Passei correndo por Susan, por Rhoda, por Neville e Bernard que conversavam no galpão. Enquanto corria, cada vez mais depressa, eu gritava. O que movia as folhas? O que move meu coração, minhas pernas? E irrompi aqui, vendo você verde como um arbusto, como um ramo, Louis, muito quieto, os olhos fixos. "Está morto?", pensei e beijei você, meu coração saltando debaixo da roupa cor-de-rosa como as folhas que continuam a se mover, embora nada faça com que se movam. Agora, sinto o aroma dos gerânios; cheiro de húmus. Danço. Agito-me. Sou lançada sobre você como uma rede de luz. E fico deitada sobre você, tremendo.

– Pela fresta na sebe, eu a vi beijando-o – disse Susan. – Ergui minha cabeça do meu vaso de flores e espiei pela fresta na sebe. Vi-a beijando-o. Vi Jinny e Louis beijando-se. Agora, vou embrulhar minha angústia dentro do meu lenço. Vou amassá-la numa bola apertada. Antes das aulas, quero ir sozinha ao bosque de faias. Não ficarei sentada à mesa fazendo cálculos. Não me sentarei perto de Jinny e perto de

Louis. Vou levar minha angústia e depositá-la nas raízes sob as faias. Vou examiná-la, pegá-la entre meus dedos. Não me encontrarão. Comerei nozes e procurarei ovos entre as sarças, meu cabelo ficará emaranhado e vou dormir sob as sebes, bebendo água das poças, e morrerei lá.
– Susan passou por nós – disse Bernard. – Passou pela porta do galpão com seu lenço amassado numa bola. Não chorava, mas os olhos dela, tão lindos, estavam apertados como os de um gato antes do pulo. Vou atrás dela, Neville. Vou docemente atrás dela, para estar a seu alcance com meu interesse, para confortá-la quando irromper num acesso de ira e pensar: "Estou sozinha".
– Agora, ela atravessa o campo, o andar oscilante, indiferente, para nos enganar. Depois, chega à encosta; pensa que ninguém a vê; põe-se a correr com os punhos fechados à sua frente. As unhas enfiadas na bola do lenço amassado. Corre para o bosque de faias, fora da luz. Quando chega, abre os braços e entra na sombra como um nadador. Mas está cega depois de tanta luz e cambaleia até as raízes sob as árvores, onde a luz parece entrar e sair, entrar e sair. Os ramos erguem-se e abaixam-se. Há movimento e agitação. Há sombra. A luz é indecisa. Tudo está pleno de angústia. As raízes formam um esqueleto no solo, com folhas mortas amontoadas nos cantos. Susan espalhou sua angústia. Seu lenço colocado sobre as raízes das faias, e ela soluça, sentada, encolhida onde caiu.
– Eu a vi beijá-lo – disse Susan. – Espiei entre as folhas e vi. Ela dançava coberta de diamantes leves como poeira. E eu sou gorda, Bernard, sou baixa. Tenho olhos que enxergam bem perto do chão e vejo insetos na relva. O ardor amarelo dentro de mim virou pedra quando vi Jinny beijar Louis. Comerei relva e morrerei numa vala, na água castanha onde apodreceram as folhas mortas.
– Vi você andando – disse Bernard. – Quando passou pela porta do galpão, ouvi você exclamar "Sou infeliz!" e larguei minha faca. Eu estava fazendo barcos de madeira com Neville. E meu cabelo está despenteado porque, quando a

sra. Constable me disse que devia escová-lo, havia uma mosca na teia e perguntei: "Devo libertar a mosca? Devo deixar que a devorem?". É por causa dessas coisas que estou sempre atrasado. Meu cabelo está despenteado, cheio de gravetos. Quando ouvi você chorar, eu a segui; vi quando colocou no chão seu lenço amassado; a ira e o ódio amarrados dentro dele. Mas isso logo passará. Agora, nossos corpos estão próximos. Você ouve minha respiração. Você vê também o besouro carregando uma folha nas costas. Corre para cá, corre para lá de modo que, enquanto você observa o besouro, até mesmo seu desejo de possuir uma só coisa (agora, é Louis) oscila como a luz entrando e saindo das folhas das faias; depois, hão de baixar palavras sobre esse nó de dureza apertado dentro do seu lenço, palavras que se movem escuras nas profundezas de sua mente.

— Eu amo e odeio — disse Susan. — Desejo uma só coisa. Meus olhos são duros. Os olhos de Jinny fragmentam-se em mil luzes. Os olhos de Rhoda são como as flores pálidas que as mariposas procuram à noite. Os seus estão cheios até as bordas e nunca se perturbam. Mas já me acalmei na minha busca. Vejo insetos na relva. Embora minha mãe ainda tricoteie meias brancas para mim e faça bainha em aventais e eu seja uma criança, amo e odeio.

— Mas quando nos sentamos juntos, perto um do outro — disse Bernard —, nossas palavras nos fundem um no outro. Estamos emoldurados pela neblina. Formamos um território inapreensível.

— Vejo o besouro — disse Susan. — É negro, estou vendo; é verde, estou vendo; estou amarrada por palavras isoladas. Mas você se afasta; você se esvai; você se ergue mais alto, com palavras e palavras encadeadas em frases.

— Agora, vamos explorar — disse Bernard. — Lá está a casa branca entre as árvores. Está lá embaixo, longe de nós. Vamos mergulhar como nadadores que mal tocam o fundo do mar com as pontas dos dedos dos pés. Vamos mergulhar pelo ar verde de folhas, Susan. Mergulhamos enquanto corremos. As ondas fecham-se sobre nós, as folhas das faias tocam-se por cima de nossas cabeças. Lá está o relógio do estábulo com os ponteiros dourados a rebrilhar. Lá estão as partes altas e baixas dos telhados da grande casa. O cavalariço, em botas de borracha, anda pelo pátio. Aquilo lá é Elvedon.

– Agora, caímos do topo das árvores ao chão. O ar já não desenrola sobre nós suas ondas compridas, infelizes, roxas. Tocamos a terra; pisamos o chão. Aquilo é a sebe densa do jardim das damas. Ao meio-dia, elas passeiam com tesouras, cortando rosas. Agora, estamos no bosque circular, rodeado pelo muro. É Elvedon. Vi marcos na encruzilhada com um braço apontando: "Elvedon". Ninguém jamais esteve lá. As samambaias têm odor muito forte, e fungos vermelhos crescem debaixo delas. Agora, despertamos as gralhas adormecidas que nunca viram antes uma forma humana; agora, pisamos em bolotas de carvalho decompostas, vermelhas de velhice, escorregadias. Há um anel de muros em torno deste bosque; ninguém chega até aqui. Ouça! É o baque de um sapo gigantesco na vegetação rasteira; é o tamborilar de pinhas prematuras caindo para apodrecer entre as samambaias.

– Ponha o pé nesse tijolo. Olhe por cima do muro. Isto é Elvedon. A dama está sentada entre duas janelas compridas, escrevendo. Os jardineiros varrem o gramado com vassouras gigantescas. Somos os primeiros a vir aqui. Somos os descobridores de uma terra desconhecida. Não se mexa; se os jardineiros nos vissem, atirariam em nós. Seríamos pregados na porta do estábulo como peles de arminho. Olhe! Não se mexa. Agarre firme nas samambaias em cima do muro.

– Estou vendo a dama que escreve. Vejo os jardineiros varrendo – disse Susan. – Se morrêssemos aqui, ninguém nos enterraria.

– Corra! – disse Bernard. – Corra! O jardineiro de barba negra nos viu! Levaremos um tiro! Atirarão em nós como em gaios e seremos pregados na parede! Estamos em terra inimiga. Temos de escapar para o bosque de faias.

Precisamos esconder-nos debaixo das árvores. Quebrei um ramo seco quando viemos. Há uma vereda secreta. Abaixe--se o quanto puder. Siga-me sem olhar para trás. Pensarão que somos raposas. Corra!

– Agora, estamos salvos. Podemos ficar em pé novamente. Podemos estender os braços nesse alto dossel, nessa vasta floresta. Não ouço coisa alguma. Apenas o murmúrio das ondas no ar. Um pombo silvestre irrompe de seu abrigo no topo das faias. O pombo fere o ar; o pombo fere o ar com asas inábeis.

– Agora, você se afasta de mim, construindo frases – disse Susan. – Agora, você sobe como um balão, cada vez mais alto, através de camadas de folhas, fora do meu alcance. Agora, você se retarda. Agora, puxa minha saia, olhando para trás, formando frases. Escapou de mim. Aqui está o jardim. Aqui está a sebe. Aqui está Rhoda, na trilha, balouçando pétalas em sua bacia cor de cobre.

– Todos os meus navios são brancos – disse Rhoda. – Não quero pétalas vermelhas de malvas-rosa nem gerânios. Quero pétalas brancas que flutuem quando agito a bacia. Tenho uma frota boiando de praia em praia. Vou atirar um galhinho como jangada para o marujo que se afoga. Vou lançar uma pedra e ver as bolhas que se erguem no fundo do mar. Neville se foi e Susan se foi; Jinny está no quintal, talvez colhendo groselhas com Louis. Tenho um pouco de tempo para ficar sozinha enquanto a srta. Hudson espalha nossos cadernos sobre a mesa da sala de aula. Tenho um espaço de liberdade. Peguei todas as pétalas caídas e as fiz boiar. Coloquei em algumas delas gotas de chuva. Quero pôr aqui um farol, como sobre um promontório de ervilhas-de-cheiro. Agora, vou agitar a bacia cor de cobre a fim de que meus navios cavalguem as ondas. Alguns vão afundar. Alguns vão destroçar-se contra os rochedos. Um navega sozinho. É o meu navio. Singra por dentro de cavernas geladas onde o urso-polar grunhe e estalactites agitam suas correntes verdes. As ondas erguem-se; as cristas encrespam-se; vejam as luzes nos mastros. Eles se dispersaram, naufragaram, todos, exceto meu navio, que cavalga a onda e desliza adiante do vento e chega às ilhas onde os papagaios tagarelam e os répteis...

– Onde está Bernard? – perguntou Neville. – Ele levou minha faca. Estávamos no galpão fazendo barquinhos e Susan passou pela porta. E Bernard largou seu barco e foi atrás dela levando minha faca, a afiada, que serve para esculpir as quilhas. Ele é como um fio elétrico pendente, um cordão de sineta partido, sempre a vibrar. É como a alga pendurada fora da janela, ora seca ora úmida. Ele me deixa na mão; vai atrás de Susan; se Susan chorar, ele vai levar minha faca e lhe contará histórias. A grande lâmina é um imperador; a lâmina quebrada é um negro. Odeio coisas oscilantes; odeio coisas nebulosas. Odeio andar por aí misturando coisas. Agora, a sineta está tocando e chegaremos tarde. Agora, temos de largar nossos brinquedos. Agora, temos de entrar em casa juntos. Os cadernos estão colocados lado a lado sobre a mesa forrada de feltro verde.

– Não conjugarei o verbo – disse Louis –, enquanto Bernard não o tiver feito. Meu pai é banqueiro em Brisbane e falo com sotaque australiano. Vou esperar e imitar Bernard. Ele é inglês. Todos são ingleses. O pai de Susan é clérigo. Rhoda não tem pai. Bernard e Neville são filhos de cavalheiros. Jinny vive com a avó em Londres. Agora, estão chupando as canetas. Agora, estão enrolando os cadernos e, olhando de lado para a srta. Hudson, contam os botões roxos do corpete dela. Bernard tem um graveto no cabelo. Susan tem olhos vermelhos. Os dois estão corados. Eu, porém, estou pálido; estou limpo e minhas calças estão presas por um cinto com uma serpente de cobre. Sei a lição de cor. Sei mais do que eles jamais saberão. Conheço meus casos e gêneros; se quisesse, poderia saber qualquer coisa no mundo. Mas não quero ir lá para a frente e dizer a lição. Como fibras num pote de flores, minhas raízes estão tramadas ao redor do mundo. Não desejo aparecer na frente e viver sob o olho desse grande relógio de cara amarela, com seus tiques e seus taques. Jinny e Susan, Bernard e Neville fundem-se num chicote para açoitar-me. Riem de meu asseio, de meu sotaque australiano. Agora, vou imitar Bernard ciciando brandamente em latim.

– Estas são palavras brancas como pedras que a gente apanha na praia – disse Susan.

– Quando as pronuncio – disse Bernard –, sacodem suas caudas para a direita e para a esquerda. Sacodem as caudas; balançam as caudas; movem-se pelo ar em flocos, ora para cá, ora para lá, movem-se todas juntas, depois dividem-se e novamente se unem.

– Estas são palavras amarelas, palavras flamejantes – disse Jinny. – Gostaria de um vestido flamejante, um vestido amarelo, um vestido fulvo para usar à noite.

– Cada tempo de verbo tem um sentido diverso – disse Neville. – Existe ordem neste mundo; há distinções; há diferenças neste mundo em cuja margem caminho. Pois isto é apenas um começo.

– Agora, a srta. Hudson fechou o livro – disse Rhoda. – Agora, o terror está começando. Agora, pegando o pedaço de giz, ela desenha números, "seis", "sete", "oito"; depois, uma cruz e uma linha no quadro-negro. Qual a resposta? Os outros olham; olham compreendendo. Louis escreve; Susan escreve; Neville escreve; Jinny escreve; até Bernard começou a escrever agora. Mas não sei escrever. Vejo apenas números. Os outros estão entregando suas respostas, um a um. Agora, é minha vez. Não tenho resposta. Os outros recebem licença para sair. Batem à porta. A srta. Hudson sai. Fico sozinha para encontrar a resposta. Agora, os números não significam coisa alguma. O sentido se foi. O relógio tiquetaqueia. Os ponteiros são comboios marchando por um deserto. As listras negras na cara do relógio são oásis verdes. O ponteiro comprido marchou para encontrar água. O outro cambaleia penosamente entre pedras ardentes no deserto. Morrerá no deserto. A porta da cozinha bate. Cães selvagens latem ao longe. Vejam, a curva do algarismo começa a encher-se de tempo e contém em si o mundo. Começo a desenhar um algarismo e o mundo está contido na sua curvatura, e eu própria estou fora dela; agora, fecho essa curva – assim – e a cerro e torno-a inteiriça. O mundo está ali inteiro, e eu fora dele chorando: "Ah, não me deixem ficar para sempre fora da curva do tempo!".

– Lá está Rhoda, sentada, olhando fixamente o quadro--negro – disse Louis – na sala de aula enquanto perambulamos, apanhando aqui um tomilho, ali beliscando uma folha de artemísia, enquanto Bernard conta uma história. As omoplatas dela encontram-se em suas costas como as asas de uma pequena borboleta. E, enquanto ela fixa os algarismos traçados a giz, sua mente se aloja naqueles círculos brancos; caminha solitária através dos arabescos em direção ao vazio. Para ela, eles nada significam. Ela não tem respostas. Não tem corpo como os outros o têm. E eu, que falo com sotaque australiano, filho de pai banqueiro em Brisbane, não tenho medo dela como tenho dos outros.

– Vamos agora rastejar debaixo do dossel das folhas da groselheira – disse Bernard – e contar histórias. Vamos habitar o submundo. Vamos tomar posse do nosso território secreto, iluminado por groselhas pendentes como candelabros, vermelhas refulgentes de um lado, negras do outro. Aqui, Jinny, se nos encolhermos um junto do outro, poderemos sentar sob esse dossel de folhas de groselheira, e observar os turíbulos de incenso oscilando. Este é o nosso universo. Os outros passam pela estrada das carruagens. As saias da srta. Hudson e da srta. Curry passam arrastando-se como apagadores de velas. Aquelas são as meias brancas de Susan. Aqueles são os sapatos limpos de Louis imprimindo--se firmemente no cascalho. Chegam sopros mornos de folhas em decomposição, de vegetação podre. Agora, estamos num pântano; uma floresta virgem em que há malária. Há um elefante, branco de tantos vermes, morto por uma flechada no olho. Os olhos brilhantes das aves de rapina – águias, abutres – aparecem. Elas pensam que somos folhas caídas. Bicam um verme – uma cobra-de-capuz – e deixam--na com uma cicatriz castanha e purulenta para ser devorada pelos leões. Este é o nosso mundo, iluminado por meias-luas e estrelas luzentes; e grandes pétalas semitransparentes fecham as aberturas como janelas roxas. Tudo é estranho. As coisas são imensas e diminutas. Os caules das flores são grossos como carvalhos. Folhas altas como cúpulas de vastas catedrais. Somos gigantes aqui deitados, capazes de fazer com que tremam as florestas.

– Isto é aqui – disse Jinny –, isto é agora. Logo, porém, teremos de ir. Logo, a srta. Curry vai soprar seu apito. E andaremos. E nos separaremos. Vocês irão para o colégio. Terão professores que usam crucifixos e gravatas brancas. Eu terei uma professora numa escola da Costa Leste, sentada sob o retrato da rainha Alexandra. É para lá que estou indo, e Susan e Rhoda. Isto é apenas aqui, apenas agora. Agora, estamos deitados sob arbustos de groselha e, cada vez que a brisa se agita, ficamos jaspeados de sombra. Minha mão é como pele de cobra. Meus joelhos são rosadas ilhas flutuantes. Seu rosto é como uma macieira toda coberta por uma fina rede.

– O calor afasta-se da selva – disse Bernard. – As folhas tatalam asas negras sobre nós. A srta. Curry soprou seu apito no terraço. Temos de rastejar para fora do abrigo de folhas de groselheira e ficar em pé. Há gravetos em seu cabelo, Jinny. Há uma lagarta verde em seu pescoço. Temos de ir em fila, dois a dois. A srta. Curry vai levar-nos para um rápido passeio, enquanto a srta. Hudson fica sentada à sua escrivaninha, pondo em ordem seus relatórios.

– É enjoado andar pela estrada sem janelas para ver, sem os turvos olhos de vidro azul dando para a calçada – disse Jinny.

– Temos de ir aos pares – disse Susan – e caminhar ordenadamente, sem arrastar os pés, sem retardar o passo, Louis à frente para nos guiar, pois Louis é vigilante, e não um sonhador.

– Como me julgam frágil demais para ir com eles – disse Neville –, como me canso facilmente e depois adoeço, vou aproveitar essa hora de solidão, essa ausência de conversa, para andar nos confins da casa e, se puder, parando na mesma escada, a meio caminho do patamar, recuperar o que senti quando escutei pela porta falarem daquele homem, ontem à noite, quando a cozinheira empurrava para dentro e para fora os reguladores do forno. Ele foi encontrado com a garganta cortada. As folhas da macieira ficaram hirtas contra o céu; a Lua resplandecia; fui incapaz de erguer meu pé na escada. Encontraram-no numa sarjeta. O sangue gorgolejava na sarjeta. Sua mandíbula era branca como um bacalhau morto. Para sempre chamarei essa constrição, essa rigidez, de 'morte sob a macieira'. Havia nuvens de um cinza pálido flutuando; e a árvore imitigável; a árvore implacável com a armadura de seu córtice de prata. A vibração da minha vida era vã. Não conseguia seguir adiante. Havia um obstáculo. "Não posso superar esse obstáculo ininteligível", eu disse. E os outros seguiram adiante. Mas todos estamos condenados pelas macieiras, pela árvore imitigável que não podemos ultrapassar.

– Agora, a constrição e a rigidez passaram; continuarei a investigar os confins da casa no fim da tarde, ao crepúsculo, quando o Sol lança manchas oleosas no linóleo, e uma greta de luz se ajoelha na parede, fazendo parecer quebradas as pernas da cadeira.

– Vi Florrie no quintal – disse Susan – quando voltamos de nosso passeio, com a roupa lavada estendida ao seu redor, os pijamas, as ceroulas, as camisolas infladas. E Ernest a beijava. Ele usava o avental verde de feltro, pois limpara a prataria; sua boca estava chupada, enrugada como uma bolsa, e ele agarrou-a com os pijamas estendidos no meio deles. Estava cego como um touro, ela desmaiava de agonia, veiazinhas marcando-lhe de vermelho as faces pálidas. Agora, enquanto ambos passam pratos de pão e manteiga e xícaras de leite nesta hora do chá, vejo uma fenda na terra e um vapor quente que sobe sibilando; e a chaleira brame como ainda havia pouco bramia Ernest, e fico inflada como os pijamas enquanto meus dentes se enfiam no pão macio com manteiga e bebo o leite adocicado. Não tenho medo do calor nem do inverno gelado. Rhoda sonha, chupando uma crosta de pão molhada no leite; Louis olha a parede oposta, com olhos verdes e lerdos; Bernard molda seu pão em bolinhas que chama de "pessoas". Neville terminou de comer, na sua maneira limpa e decisiva. Enrolou o guardanapo e enfiou-o na argola de prata. Jinny trança os dedos na toalha da mesa, como se dançassem ao sol, fazendo piruetas. Não tenho medo do calor nem do inverno gelado.

– Agora, todos nos erguemos – disse Louis. – Todos ficamos de pé. A srta. Curry abre o livro preto no harmônio. É difícil não chorar quando cantamos, quando rezamos para que Deus nos guarde enquanto dormimos, chamando a nós mesmos de "criancinhas". Quando estamos tristes, tremendo de apreensão, é doce cantarmos juntos, inclinando-nos de leve, eu em direção a Susan, Susan em direção a Bernard, as mãos agarrando-se, com medo de muitas coisas, eu do meu sotaque, Rhoda dos algarismos; decididos, porém, a vencer tudo isso.

– Subimos as escadas pateando como pôneis – disse Bernard –, pisando forte, atropelando uns aos outros para termos nossa vez no banheiro. Nós nos esbofeteamos, brigamos, saltamos no ar e caímos nas camas duras e alvas. Chegou minha vez. Estou indo.

– A sra. Constable, toalha amarrada à cintura, pega a esponja cor de limão e a mergulha na água; a esponja torna-se cor de chocolate; pinga; e, segurando-a bem no alto sobre mim, que tremo, ela espreme a esponja. A água desce pelo córrego da minha coluna vertebral. Luminosas flechas de sensação disparam dos dois lados. Estou coberto de carne cálida. Minhas fendas secas estão molhadas; meu corpo frio está aquecido; está limpo e reluzente. A água desce e cobre-me como uma enguia. Agora, toalhas quentes envolvem-me, e sua aspereza faz meu sangue ronronar quando esfrego as costas. Sensações ricas e pesadas formam-se em minha mente como sob um telhado; as imagens do dia chovem sobre mim – as florestas; Elvedon; Susan e o pombo. Despejando-se pelas paredes de minha mente, juntando-se na torrente, o dia escorre copioso, resplandecente. Agora, amarro frouxamente meu pijama em mim e deito sob o lençol fino, boiando na luz superficial que é como uma teia de água lançada sobre meus olhos por uma onda. Ouço longe, muito longe daqui, abafado pela distância, o coro noturno que se inicia; rodas; cães; homens gritando; sinos de igreja; o coro noturno que se inicia.

– Quando dobro minha saia e minha blusa – disse Rhoda –, dispo meu vão desejo de ser Susan, de ser Jinny. Estendo os dedos dos pés para que toquem a beira da cama; quero assegurar-me de mim mesma tocando a guarda da cama, algo duro. Agora, não posso afundar; não posso cair através desse fino lençol. Agora, estendo meu corpo sobre esse colchão frágil e fico suspensa no ar. Estou acima da terra. Não estou mais em pé, capaz de ser golpeada e ferida. Tudo é macio e flexível. Paredes e armários branqueiam e curvam suas quinas amarelas sobre as quais reluz um vidro pálido. Agora, minha mente pode despejar-se para fora de mim. Posso pensar em armadas singrando altas ondas. Estou livre de duros contatos e colisões. Singro solitária sob recifes alvos. Ah, mergulho; porém caio! É a quina do armário; é o espelho do quarto de dormir das crianças. Mas esticam-se, alongam-se. Mergulho nas negras plumas do sono; suas grossas asas estão premidas contra meus olhos. Viajando através da escuridão, vejo os canteiros estendidos, e a sra. Constable corre de trás do capim-seda para dizer que minha tia veio apanhar-me de carruagem. Levanto-me; escapo; alço-me, com botas de salto de mola, por cima dos topos das árvores. Agora, contudo, caí na carruagem, na porta do vestíbulo, onde ela está sentada agitando plumas amarelas, os olhos duros como vítreas bolinhas de gude. Ah, acordar do sonho! Lá está a cômoda. Quero arrancar-me dessas águas. Mas elas se amontoam sobre mim; arrastam-me por entre seus ombros enormes; reviram-me; sacodem-me; fico estendida entre essas longas luzes, essas longas ondas, essas veredas intermináveis, com gente que me persegue, persegue.

***

O Sol ergueu-se mais. Ondas azuis, ondas verdes derramam um rápido leque sobre a praia, circundando as pontas dos cardos-marinhos, depositando poças rasas de luz aqui e ali na areia. Atrás de si, as ondas deixaram uma tênue orla negra. As rochas, antes nevoentas e macias, endureceram, vincadas por fissuras rubras. Nítidas faixas de sombra jazem na relva; o orvalho, dançando nas pontas das flores e folhas, fazia o jardim parecer um mosaico de nódoas isoladas, ainda sem formar um conjunto. Os pássaros, com peitos pintalgados de amarelo-canário e rosa, cantavam agora juntos uma melodia ou duas, selvagens como patinadores deslizando de braços dados; de repente, porém, silenciavam e afastavam-se. O Sol pousava lâminas mais largas sobre a casa. A luz tocava em algo verde no canto da janela, tornando-o uma mancha esmeralda, uma gruta de puro verde como um fruto sem semente. Aguçava as quinas das cadeiras e mesas, e as toalhas de renda branca com finos fios de ouro. À medida que a luz aumentava, um botão abria-se aqui e ali, soltando flores de veias verdes, trêmulas, como se o esforço de abrir as tivesse feito oscilar, desencadeando um suave carrilhão quando batiam as frágeis corolas contra as paredes brancas. Tudo ficava ductilmente amorfo, como se a porcelana do prato se diluísse e o aço da faca se liquefizesse. E, durante o tempo todo, a concussão das ondas quebrando-se soava em golpes abafados, como troncos de árvores caindo na praia.

***

– Agora, chegou a hora – disse Bernard. – Chegou o dia. O fiacre está na porta. Meu grande baú torna as pernas de George ainda mais abertas. A horrenda cerimônia acabou, as palmadinhas e as despedidas no saguão. Agora, há a cerimônia sufocante com minha mãe, a cerimônia do aperto de mãos com meu pai; agora, preciso continuar acenando, preciso continuar acenando até dobrarmos a esquina. Agora, essa cerimônia acabou. Graças aos céus, todas as cerimônias acabaram. Estou sozinho; vou para o colégio pela primeira vez.

– Todos parecem fazer coisas apenas neste momento e, depois, nunca mais. Nunca mais. A urgência de tudo isso é assustadora. Todo mundo sabe que estou indo para o colégio, indo para o colégio pela primeira vez. "Esse menino está indo para o colégio pela primeira vez", diz a empregada limpando os degraus. Não devo chorar. Preciso tratá-los com indiferença. Agora, os horríveis portais da estação se escancaram; "o relógio com cara de lua me olha". Preciso compor frases e frases, e assim interpor algo rijo entre mim e o olhar das criadas, o olhar dos relógios, esses rostos que me encaram, rostos indiferentes; caso contrário, chorarei. Aí está Louis, aí está Neville, de casacos compridos, carregando maletas de mão, junto do guichê. Estão serenos. Contudo, parecem diferentes.
– Aqui está Bernard – disse Louis. – Está sereno; está à vontade. Balança a mala enquanto anda. Vou seguir Bernard porque ele não tem medo. Somos empurrados do guichê até a plataforma como uma torrente empurra gravetos e tiscos de palha em torno dos pilares de uma ponte. Aqui está a máquina verde-garrafa, poderosíssima, máquina sem pescoço, toda costas e quadris, respirando vapor. O guarda sopra seu apito; a bandeira é agitada; sem esforço, por impulso próprio, como uma avalanche iniciada por um suave empurrão, seguimos em frente. Bernard estende um tapete e joga com ossinhos. Neville lê. Londres se desintegra. Londres cresce e decresce, eriçada de chaminés e torres. Aqui, uma igreja branca; ali, um mastro entre espirais. Aqui, um canal. Agora, espaços abertos com caminhos asfaltados sobre os quais é estranho que hajà pessoas andando. Há uma colina estriada de casas vermelhas. Um homem atravessa uma ponte com um cão nos calcanhares. Agora, o menino vermelho começa a atirar num faisão. O menino azul o afasta para o lado. "Meu tio é o melhor atirador da Inglaterra. Meu primo é Mestre dos Cães de Caça." Começam a exibir-se. Não posso me exibir, eu cujo pai é banqueiro em Brisbane, eu que falo com sotaque australiano.

– Depois de toda essa confusão – disse Neville –, todo esse rebuliço e confusão, chegamos. Este é realmente um momento – é realmente um momento solene. Chego como um senhor destinado a esses lugares. Este é nosso fundador; nosso ilustre fundador, parado no jardim com um pé erguido. Saúdo nosso fundador. Um nobre ar romano paira sobre os patamares austeros. As luzes já estão acesas nos aposentos onde se ensina. Talvez ali sejam os laboratórios, e aqui uma biblioteca, onde explorarei a exatidão da língua latina, e andarei firme por meio de frases bem construídas, e pronunciarei os explícitos, sonoros hexâmetros de Virgílio, de Lucrécio; e com paixão jamais obscura nem vaga, cantarei os amores de Catulo, lendo num grande livro, um *in-quarto*, com amplas margens. Também me deitarei nos campos entre talos de grama que fazem cócegas. Vou deitar-me com meus amigos sob os olmos gigantescos.

– Atenção, o reitor. Ai de mim, ele excita meu senso de ridículo. É polido demais, excessivamente lustroso e preto, como uma estátua numa praça pública. E, no lado esquerdo do colete, esse colete retesado como um tambor, pende um crucifixo.

– O velho Crane agora se ergue para falar conosco – disse Bernard. – O velho Crane, o reitor, tem o nariz como uma montanha ao pôr do sol, e uma fissura azul no queixo, como uma ravina cheia de árvores que algum viajante incendiou; como uma ravina cheia de árvores, vista de uma janela de trem. Ele oscila de leve, pronunciando suas palavras tremendas e sonoras. Amo palavras tremendas e sonoras. Mas as palavras dele são muito cordiais para serem verdadeiras. Ainda assim, agora está convencido da veracidade delas. E quando sai da sala, oscilando pesadamente de um lado para outro, abrindo caminho através das portas giratórias, todos os professores, oscilando, pesadamente de um lado para outro, também abrem caminho através das portas giratórias. Esta é a nossa primeira noite no colégio, separados de nossas irmãs.

* * *

– Esta é a minha primeira noite no colégio – disse Susan –, separada de meu pai, longe de minha casa. Meus olhos incham; meus olhos ardem de lágrimas. Odeio o cheiro de pinho e de linóleo. Odeio os arbustos sacudidos pelo vento e os ladrilhos dos banheiros. Odeio as piadas alegres e o olhar vítreo de todo mundo. Deixei meu esquilo e meus pombos para o criado jovem cuidar. A porta da cozinha bate, e o tiro corre entre as folhas quando Percy dispara contra as gralhas. Tudo aqui é falso; tudo prostituído. Rhoda e Jinny sentam-se longe, vestidas de sarja marrom, olhando a srta. Lambert sentada sob o retrato da rainha Alexandra, lendo um livro à sua frente. Há também uma tapeçaria azul tecida por alguma solteirona. Se não repuxar meus lábios, se não amassar meu lenço, vou chorar.

– A luz violeta no anel da srta. Lambert – disse Rhoda – vai e vem, trespassando a mancha negra na página branca do *Livro de orações*. E uma luz amorosa, cor de vinho. Agora que nossos baús estão desfeitos nos dormitórios, ficamos sentadas num rebanho, juntas, sob mapas do mundo inteiro. Há escrivaninhas com pequenos potes cheios de tinta. Escreveremos aqui nossos exercícios à tinta. Mas não sou ninguém aqui. Não tenho rosto. Essa grande comunidade, toda vestida de sarja marrom, roubou minha identidade. Todas somos insensíveis, inamistosas. Procurarei por um rosto, um rosto bem delineado e monumental, e lhe conferirei onisciência, e o usarei sob meu vestido como um talismã, e então (prometo) encontrarei um pequeno vale numa floresta onde poderei espalhar meu sortimento de estranhos tesouros. Prometo isso a mim mesma. Assim, não terei de chorar.

– Aquela mulher escura com suas faces altas – disse Jinny – tem um vestido brilhante, como uma concha, com veiazinhas, para usar à noite. É bom para o verão, mas no inverno eu preferiria um vestido fino com fitas vermelhas, que reluzisse à luz da lareira. Então, quando as lâmpadas fossem acesas, vestiria meu vestido vermelho e ele seria tênue como um véu, voltearia em torno de meu corpo e ondularia quando eu entrasse na sala, fazendo piruetas. Tomaria forma de flor quando eu desabasse sobre uma cadeira dourada no meio do aposento. A srta. Lambert, porém, usa um vestido opaco, que desce pelas cascatas de seus babados brancos, quando ela senta sob o retrato da rainha Alexandra, pressionando firmemente um dedo alvo na página. E nós rezamos.

– Agora, marchamos dois a dois, ordenadamente – disse Louis –, em procissão para a capela. Gosto da penumbra que baixa quando entramos neste edifício sagrado. Gosto deste avançar ordenado. Entramos nas filas; sentamo-nos. Entrando aqui, despimos nossas diferenças. Gosto da hora em que, oscilando de leve, mas só por seu próprio ímpeto, o dr. Crane sobe ao púlpito e lê o texto de uma *Bíblia* aberta nas costas da águia de bronze. Rejubilo; meu coração expande-se por causa do seu tamanho, da sua autoridade. Ele dissipa as turbilhonantes nuvens de pó de minha mente trêmula, ignominiosamente agitada – tal como quando dançávamos em torno da árvore de Natal e, ao entregarem os presentes, esqueceram-se de mim, e a mulher gorda disse: "Esse menininho aí não tem presente", e deu-me uma reluzente bandeira do Reino Unido que estava no alto da árvore, e chorei, furioso, porque se lembravam de mim com pena. Agora, tudo foi dissipado pela autoridade dele, pelo seu crucifixo, e começo a sentir terra firme sob meus pés, minhas raízes descendo, descendo, até se enroscarem em torno de algo duro no centro. Enquanto ele lê, recobro minha continuidade. Torno-me uma figura na procissão, um raio na imensa roda a girar, que por fim me instala aqui e agora. Eu estava nas trevas; estava escondido; contudo, quando a roda gira (enquanto ele lê), levanto-me nessa luz penumbrosa onde só escassamente percebo rapazes ajoelhados, pilares e placas tumulares de bronze. Não há nenhuma crueldade aqui nem beijos inesperados.

– Esse bruto ameaça minha liberdade quando reza – disse Neville. – Sem o calor da imaginação, suas palavras desabam frias sobre minha cabeça, como pedras de

calçamento, enquanto a cruz dourada oscila sobre seu colete. As palavras da autoridade são corrompidas por quem as pronuncia. Zombo e rio dessa triste religião, dessas figuras trêmulas e agoniadas avançando, cadavéricas e feridas, por uma estrada branca sombreada por figueiras onde meninos se reviram no pó – meninos nus; e os odres, feitos de pele de cabra, inchados de vinho, pendem da porta da taverna. Estive em Roma, viajando com meu pai na Páscoa; a imagem oscilante da mãe de Cristo era carregada pelas ruas; passou também a imagem ferida de Cristo, no interior de um caixão de vidro.
– Agora, vou inclinar-me para o lado como se fosse coçar minha coxa. E verei Percival. Está sentado ali, ereto entre os menores; respira pesadamente por meio de seu nariz reto. Seus olhos azuis e bizarramente inexpressivos fixam com indiferença pagã o pilar à frente. Ele daria um pároco admirável. Deveria ter uma vara de videiro e bater nos meninos quando cometessem pequenas faltas. Está absorto nas frases latinas inscritas nas placas tumulares de bronze. Não enxerga nada; não ouve nada. Está afastado de nós todos, num universo pagão. Mas vejam – ele toca a nuca com a mão. Um gesto assim pode deixar-nos irremediavelmente apaixonados pelo resto da vida. Dalton, Jones, Edgar e Bateman tocam suas nucas da mesma maneira. Mas sem nenhum sucesso.
– Enfim, cessam os resmungos do dr. Crane – disse Bernard. – O sermão termina. Ele pulverizou a dança das borboletas-brancas na porta. Sua voz áspera e peluda é como um queixo que não foi barbeado. Agora, cambaleia de volta ao seu assento como um marinheiro bêbado. É um ato que todos os outros professores tentarão imitar; mas relaxados, insignificantes, usando calças cinza, só conseguirão ser ridículos. Não os desprezo. A meus olhos, os trejeitos deles parecem dignos de comiseração. Anoto esse fato com vários outros em meu caderno, para futuras referências. Quando crescer, levarei comigo um caderno de notas – um livro gordo com muitas páginas, metodicamente alfabetado.

Colocarei nele minhas frases. Na letra "P", haverá: "pó de borboleta". Se, no meu romance, eu descrever o sol no peitoril da janela, olharei no "P" e encontrarei "pó de borboleta". Será útil. A árvore "sombreia a janela com dedos verdes". Isso será útil. Mas, ai de mim! Logo me distraio – com cabelos que parecem açúcar-cande trançado, ou com o *livro de orações* de Célia recoberto de marfim. Louis consegue olhar a natureza uma hora inteira sem piscar. Eu logo fracasso, a não ser que me advirtam. "O lago da minha mente, intocado pelos remos, ergue-se plácido e logo cai numa sonolência oleosa." Essa frase poderá ser útil.

– Agora, saímos desse templo frio para os campos amarelos – disse Louis. – E, como é meio feriado (aniversário do Duque), nos sentaremos entre os longos talos de grama enquanto os outros jogam críquete. Se eu pudesse ser "eles", jogaria; haveria de me curvar sobre minhas joelheiras e correr pelo campo à frente dos batedores de críquete. Vejam agora como todos seguem Percival. Ele é pesado. Anda desajeitadamente pelo campo, através da grama alta, até onde se erguem os grandes olmos. Magnífico como um comandante medieval. Uma esteira de luz parece jazer na grama atrás dele. Olhem como trotamos atrás dele, seus servos fiéis, para sermos caçados como carneiros, pois certamente ele tentará algum empreendimento infeliz e morrerá na batalha. Meu coração fica todo áspero, esfola meu peito como uma espada de dois gumes; por um lado, adoro sua magnificência; por outro, desprezo sua pronúncia relaxada – eu, que lhe sou tão superior – e tenho ciúmes.

– E agora – disse Neville – deixemos Bernard começar. Deixemos que se enrede, contando-nos histórias enquanto estamos aqui deitados, ociosos. Deixemos que descreva o que todos vimos, de modo a se tornar uma sequência lógica. Bernard diz que sempre há uma história. Eu sou uma história; Louis é uma história. Existe a história do menino das botas, a história do homem de um olho só, a história da mulher que vende caracóis. Que ele se enrede com sua história enquanto me deito de costas, contemplando os

vultos de pernas duras, que são os batedores do jogo, através dos trêmulos talos de grama. Parece que o mundo inteiro desliza e recurva-se – na terra, as árvores; no céu, as nuvens. Ergo o olhar, através das árvores, até o céu. O jogo parece ter terminado ali. Tênue entre as macias nuvens brancas, ouço o grito: "Corra!"; ou o grito: "O que foi?". As nuvens soltam tufos de brancura quando a brisa as dissolve. Se esse céu azul pudesse permanecer para sempre; se esta abertura pudesse durar para sempre; se este momento pudesse ficar para sempre...
– Mas Bernard continua falando. Lá vão elas borbulhando – as imagens: "como um camelo"... "um abutre". O camelo é um abutre; o abutre, um camelo; pois Bernard é um fio pendurado, solto, conquanto sedutor. Sim, quando ele fala, quando faz suas tolas comparações, ficamos iluminados. E flutuamos também como se fôssemos uma bolha de ar; ficamos libertos; escapei, é o que a gente sente. Até os meninos gorduchos (Dalton, Larpent e Baker) sentem o mesmo abandono. Gostam mais disso que de críquete. Apanham as frases enquanto elas borbulham. Deixam os talos penugentos de grama fazer cócegas em seus narizes. E todos então percebemos Percival pesadamente deitado entre nós. Sua gargalhada estranha parece sancionar nossas risadas. Agora, porém, ele rola na grama alta. Acho que masca um caule entre os dentes. Sente-se entediado; eu também me sinto entediado. De repente, Bernard percebe que estamos entediados. Detecto certo esforço em sua frase, certa extravagância, como se dissesse: "Olhem!". Mas Percival diz: "Não". Pois é sempre ele o primeiro a detectar a insinceridade; e é extremamente brutal. A frase perde-se debilmente. Sim, chegou o espantoso momento em que o poder de Bernard falha, e não há mais continuidade, e ele se engasga e retorce entre os dedos um pedaço de barbante e cai em silêncio, pasmo, como se estivesse prestes a chorar. Entre os tormentos e as devastações da vida, existe este – nossos amigos não são capazes de concluir suas histórias.

– Agora – disse Louis –, antes de nos levantarmos, antes de irmos tomar chá, deixem-me tentar fixar o momento, num supremo esforço de vontade. É preciso que este momento perdure. Estamos separando-nos; alguns vão para o chá; outros, para as redes de tênis; mostrarei meu ensaio ao sr. Baker. É preciso que este momento perdure. A partir da discórdia, do ódio (desprezo quem é diletante na imaginação; ressinto-me intensamente da ascendência exercida por Percival), minha mente fragmentada se sente reconstruída por uma súbita percepção. Tomo as árvores e as nuvens como testemunhas da minha completa integração. Eu, Louis, eu, que deverei andar pela Terra nos próximos setenta anos, nasço inteiro, fora do ódio, fora da discórdia. Aqui neste círculo de relva sentamo-nos juntos, ligados pelo tremendo poder de uma compulsão interna. As árvores acenam, as nuvens passam; chegará o tempo em que todos esses solilóquios serão partilhados. Nem sempre emitiremos sons como os de um gongo que percute quando as sensações o golpeiam sucessivamente. Crianças, nossas vidas foram gongos golpeados; clamor e orgulho; gritos de desespero; toques na nuca em meio aos jardins.

– Agora, relva e árvores, o ar que passa soprando espaços vazios no céu azul que depois se recobrem, sacudindo folhas que depois retornam a seus lugares, e nosso círculo aqui, sentados, braços segurando nossos joelhos, tudo isso sugere uma outra ordem de coisas, superior, cuja razão de ser é eterna. Percebo isso por um segundo. E, esta noite, tentarei fixar essa percepção em palavras, forjá-la num anel de aço, ainda que Percival a destrua quando se afasta com seu passo pesado, esmagando sob os pés os talos de relva, seguido pelos alunos menores, que trotam atrás dele, subservientes. No entanto, é de Percival que preciso; pois é Percival quem inspira a poesia.

***

– Por quantos meses – disse Susan –, por quantos anos corri essas escadas acima, nos sombrios dias de inverno, nos frescos dias de primavera? Agora, é pleno verão.

Subimos para mudar de roupa, vestindo trajes brancos para jogar tênis – Jinny e eu, Rhoda nos seguindo. Conto cada degrau enquanto subo, conto cada degrau como uma coisa definitivamente ultrapassada. Assim também, a cada noite, arranco do calendário o dia que acaba de findar e o amasso numa bolinha bem apertada. Faço isso para me vingar, enquanto Betty e Clara estão ajoelhadas. Eu não rezo. Vingo-me do dia. Descarrego meu ódio sobre as imagens dele. Agora, você está morto, digo, dia passado no colégio, dia odiado. Essa gente conseguiu dar a todos os dias de junho – hoje já é 25 – o mesmo ar brilhante e ordenado, com as mesmas batidas de gongo, as mesmas lições, as mesmas ordens de se lavar, mudar de roupa, trabalhar, comer. Ouvimos missionários vindos da China. Saímos em carruagens por estradas asfaltadas para assistirmos a concertos. Mostraram-nos galerias de arte e quadros.

– Lá em casa, o feno ondula nos campos. Meu pai encosta-se na cerca, fumando. Uma porta, depois outra, bate na casa, quando o ar do verão sopra pelos corredores vazios. Talvez um quadro antigo oscile na parede. Uma pétala tomba da rosa na jarra. As carroças da fazenda espalham tufos de feno pelas sebes. Vejo tudo isso, sempre vejo, quando passo pelo espelho no patamar, com Jinny à frente e Rhoda retardando-se atrás. Jinny dança. Jinny sempre dança no vestíbulo, sobre os ladrilhos feios e carcomidos; vira cambalhotas no pátio; apanha alguma flor proibida e a enfia atrás da orelha, e os olhos escuros da srta. Perry ardem de admiração – por Jinny, não por mim. A srta. Perry ama Jinny; eu poderia tê-la amado; agora, porém, não amo ninguém, exceto meu pai, meus pombos e o esquilo que deixei na gaiola em casa, para o criado jovem cuidar.

– Odeio aquele espelho estreito no patamar – disse Jinny. – Ele só mostra as cabeças das pessoas; corta as cabeças fora. E meus lábios ficam grandes demais, meus olhos juntos demais; ao rir, mostro excessivamente as gengivas. O rosto de Susan, com seu olhar fatal, os olhos verde-relva que os poetas hão de amar, segundo diz Bernard, ao verem-nos baixar sobre miúdos bordados brancos, anulam os meus; até o rosto de Rhoda, lunar e vazio, basta-se a si mesmo, tal como as pétalas brancas que ela costumava fazer boiar em sua bacia. Assim subo as escadas, passando por ambas, até o patamar seguinte, onde pende o espelho comprido, e vejo-me inteira. Agora, vejo meu corpo e cabeça juntos; pois, mesmo nesta roupa de sarja, eles são uma coisa, meu corpo e minha cabeça. Sim, quando mexo a minha cabeça, todo o meu corpo fino ondula; até minhas pernas magras ondulam como um caule ao vento. Oscilo entre o rosto inteiriço de Susan e a vaguidão do de Rhoda; salto como uma daquelas labaredas que correm entre fendas na terra; movo-me, danço; não cesso de mover-me e dançar. Movo-me como uma folha se movia na sebe quando eu era criança e me assustava. Danço sobre essas paredes listradas, essas paredes impessoais, com suas orlas amarelas, como uma flama dança sobre bules de chá. Até ante os olhos frios das mulheres incendeio-me. Quando leio, uma risca cor de violeta corre pelo canto negro do livro. Contudo, não consigo seguir palavra alguma em suas transformações. Não consigo seguir nenhum pensamento que remonta do presente para o passado. Não fico parada, perdida, como Susan, com lágrimas nos olhos lembrando-me de casa; nem me deito, como Rhoda, encolhida entre as samambaias, manchando de verde minha roupa rosa, enquanto sonho com plantas que florescem debaixo do mar, e rochas entre as quais os peixes nadam lentos. Não, eu não sonho.

– Agora, sejamos rápidas. Quero ser a primeira a tirar essas roupas grosseiras. Aqui estão minhas meias brancas e limpas. Aqui, meus sapatos novos. Prendo o cabelo com uma fita branca de maneira que, quando correr pelo pátio, a fita ondulará num impulso, mas se enrolará outra vez na minha nuca, no seu lugar exato. Nenhum cabelo deve ficar despenteado.

– Este é meu rosto – disse Rhoda – no espelho por trás do ombro de Susan; este rosto é o meu rosto. Vou agachar-me atrás dela para ocultá-la, pois não estou aqui. Não tenho rosto. Outras pessoas têm rostos; Susan e Jinny têm rostos; estão aqui. O mundo delas é um mundo real. As coisas que elas soerguem têm peso. Elas dizem: "Sim"; dizem: "Não"; eu, porém, sempre que me movo ou me transformo, é possível ver através de mim em apenas um segundo. Se encontram uma criada, ela as fita sem rir. Mas de mim ela ri. Elas sabem o que dizer quando são interpeladas. Riem de verdade; enfurecem-se de verdade; ao passo que eu preciso olhar em volta de mim e fazer o que os outros fazem.

– Vejam com que extraordinária exatidão Jinny calça suas meias, simplesmente, para jogar tênis. Admiro isso. Mas prefiro os modos de Susan, que é mais resoluta, menos desejosa de brilhar do que Jinny. Ambas desprezam-me por imitá-las; às vezes, porém, Susan ensina-me, por exemplo, a dar um laço, ao passo que Jinny possui sua própria sabedoria, que ela guarda para si. Têm amigas junto de quem sentam. Têm coisas a dizer em particular nos cantos. Eu, contudo, só me ligo a nomes e rostos; armazeno-os como amuletos contra alguma desgraça. Escolho na sala um rosto desconhecido e quase não consigo tomar meu chá quando aquela cujo nome não sei se senta à minha frente. Sufoco. A violência de minha emoção atira-me de um lado para outro. Imagino essas pessoas inominadas, imaculadas, observando-me atrás de arbustos. Pulo bem alto para chamar--lhes a atenção. À noite, na cama, excito sua admiração. Muitas vezes, morro trespassada de flechas só para arrancar suas lágrimas. Se elas dissessem, ou se eu reconhecesse pelas etiquetas em seus baús, que estiveram em Scarborough nas férias passadas, a cidade toda ficaria dourada e o calçamento se iluminaria. Por isso odeio espelhos que me revelam meu verdadeiro rosto. Sozinha, muitas vezes mergulho no nada. Preciso firmar meu pé fortemente, senão caio do limite do mundo para dentro do nada. Preciso bater minha mão contra uma porta rija, para me chamar de regresso a meu corpo.

– Estamos atrasadas – disse Susan. – Temos de esperar nossa vez de jogar. Vamos deitar-nos aqui no capim alto e fingir que estamos vendo Jinny e Clara, Betty e Mavis. Mas não as observaremos. Detesto observar outras pessoas jogando. Carregarei as coisas que me cercam de significados odiosos e as enterrarei fundo no chão. Essa pedrinha reluzente é Madame Carlo; vou enterrá-la por causa de seus modos aduladores e insinuantes, por causa da moeda de seis pences que ela me deu para obrigar-me a manter os dedos retos quando executo minhas escalas. Enterro a moeda dela. Enterraria a escola inteira: o ginásio de esportes, a sala de aula, a sala de jantar, que sempre cheira a carne, e a capela. Gostaria de enterrar os tijolos vermelhos, e os retratos oleosos de homens velhos – benfeitores, fundadores de escolas. Há algumas árvores de que gosto; a cerejeira com gomos de resina translúcida na casca; e a vista que se tem do sótão sobre as colinas longínquas. À parte isso, enterraria tudo como enterro essas pedras horríveis, sempre espalhadas nessa praia com seus quebra-mares e seus turistas. Lá em casa, as ondas têm léguas de comprimento. Nas noites de inverno, ouvimos seu bramido. No último Natal, um homem afogou-se, sentado sozinho em sua carroça.

– Quando a srta. Lambert passa – disse Rhoda –, conversando com o pastor, as outras riem e imitam sua corcunda; ainda assim, porém, tudo se transfigura e se ilumina. Jinny também salta mais alto quando a srta. Lambert passa. Aonde quer que ela vá, as coisas se transmudam ao toque de seus olhos; ainda assim, porém, quando ela já se foi, as coisas não voltam a ser as mesmas outra vez? A srta. Lambert atravessa a cancela, conduzindo o pastor a seu jardim particular. Quando chegar ao tanque, ela verá uma rã sobre uma folha e a rã se transformará. Quando ela para, como uma estátua numa gruta, tudo em torno se faz pálido e solene. Ela deixa cair dos ombros a capa de seda com longas franjas, e só seu anel de ametista continua a brilhar, seu anel cor de vinho. Quando nos deixam, as pessoas tornam-se misteriosas. Quando nos deixam, posso acompanhá-las até o tanque e transformá-las em estátuas majestosas. Quando a

srta. Lambert passa, as margaridas mudam; e tudo se desencadeia como labaredas quando ela corta a carne. Mês a mês, as coisas vão perdendo sua dureza; até meu corpo agora deixa passar a luz; minhas vértebras estão macias como cera perto da chama de uma vela. Sonho... o sonho...
– Ganhei o jogo – disse Jinny. – Agora, é a vez de vocês. Preciso atirar-me ao chão e tomar fôlego. Sufoco de tanto correr, de tanto triunfar. Tudo no meu corpo parece-me mais límpido com a corrida e o triunfo. Meu sangue deve estar vermelho-vivo, excitado, batendo contra minhas costelas. As solas de meus pés estão sensíveis como se fios elétricos se tocassem e se separassem nelas. Vejo nitidamente cada talo de grama. Contudo, o sangue lateja de tal maneira na minha fronte, atrás de meus olhos, que tudo dança – a rede de tênis, a relva; os rostos de vocês esvoaçam como borboletas; as árvores parecem saltar para cima e para baixo. Nada se fixa, nada se acomoda neste universo. Tudo ondula, dança; tudo é rapidez e triunfo. No entanto, quando vejo vocês jogarem, deitada sozinha no chão duro, começo a sentir desejo de ser escolhida, convidada, chamada por alguém que vem e me encontra, que se sente atraído por mim, que não consegue se afastar de mim, que se mantém junto a mim quando me sento em minha cadeira dourada e meu vestido ondula a meus pés como uma flor. E nos retiramos para um canto sombrio, sentados sozinhos numa sacada, e conversamos.

– Agora, a maré está baixando. Agora, as árvores tocam o chão; as ondas bruscas que batem em minhas costelas oscilam mais docemente, e meu coração cavalga uma âncora, como um bote cujas velas deslizam lentas sobre o convés imaculado. O jogo terminou. Agora, vamos tomar chá.

**

– O bando de meninos pretensiosos foi jogar críquete – disse Louis. – Saíram na carruagem grande, cantando em coro. Viram suas cabeças ao mesmo tempo na esquina, junto dos arbustos de louro. Agora, exibem-se. O irmão de Larpent jogou futebol no time de Oxford; o pai de Smith está há um século na Câmara dos Lordes; Archie e Hugh; Parker e Dalton; Larpent e Smith; depois, novamente Archie e Hugh; Parker e Dalton; Larpent e Smith – os nomes repetem-se; sempre os mesmos nomes. São eles os voluntários, os jogadores de críquete, os membros da Sociedade de História Natural. Sempre em fila de quatro, marchando em bandos com distintivos nos barretes; saúdam simultaneamente ao passarem pela estátua de seu general. Como é majestosa a sua ordem, como é bela a sua obediência! Se pudesse segui--los, se pudesse acompanhá-los, sacrificaria tudo o que sei. Contudo, eles deixam atrás de si borboletas cujas asas trêmulas se fanam; jogam nos cantos lenços sujos de sangue coagulado. Fazem soluçar os menininhos nos corredores escuros. Têm grandes orelhas vermelhas que despontam por baixo dos barretes. Mas é assim que desejaríamos ser, Neville e eu. Observo-os com inveja. Espiando atrás da cortina, percebo, deliciado, a simultaneidade de seus movimentos. Se minhas pernas tivessem a força das deles, como haveriam de correr! Se eu os tivesse acompanhado, se tivesse triunfado nas partidas de críquete e nas competições de remo, se tivesse galopado o dia inteiro, com que voz de trovão eu entoaria as canções de brindes à meia-noite; em que torrentes as palavras brotariam da minha garganta!

– Percival foi embora agora – disse Neville. – Só pensa na competição. Nem acenou com a mão quando a carruagem dobrou a esquina junto dos arbustos de louro. Desdenha-me por ser fraco demais para jogar (embora sempre se mostre atencioso para com minha fragilidade). Despreza-me porque não me importo se eles ganham ou perdem, a não ser na medida em que ele próprio se importe. Aceita, porém, minha devoção; aceita a trêmula oferenda, sem dúvida abjeta, que de mim mesmo lhe faço, eu que, no entanto, desprezo sua estupidez. Pois ele não é capaz de ler. Mas, quando leio Shakespeare ou Catulo, deitado na alta relva, ele os entende mais do que Louis. Não o sentido das palavras, mas o que são palavras? Acaso já não sei como fazer rimas, como imitar Pope, Dryden e até Shakespeare? Mas não consigo ficar parado ao sol o dia todo com os olhos postos na bola; não consigo sentir o voo da bola contra meu corpo e pensar apenas nela. Serei pelo resto da minha vida alguém que se agarra à franja das palavras. Não poderia, porém, viver com Percival e suportar sua estupidez. Vai tornar-se grosseiro e roncar. Vai casar-se e haverá cenas de ternura no café da manhã. Agora, porém, ele ainda é jovem. Nenhum fio, nenhuma folha de papel interpõem-se entre ele e o Sol, entre ele e a chuva, entre ele e a Lua, quando jaz nu, rolando quente em sua cama. Agora, enquanto seguem pela estrada na carruagem, o rosto dele se mancha de vermelho e amarelo. Vai tirar o casaco e parar de pernas abertas, as mãos prontas, observando a meta. E vai rezar: "Deus, fazei com que ganhemos a partida"; pensará apenas numa coisa: o time tem de vencer.

– Como poderia eu acompanhá-los na carruagem e ir jogar críquete? Só Bernard poderia ir, mas Bernard está sempre atrasado. Atrasado demais para partir com eles. Sua incorrigível melancolia impede-o de ir. Para quando lava as mãos e diz: "Há uma mosca naquela teia. Devo salvar essa mosca; devo deixar que a aranha a devore?". Inúmeras perplexidades o anuviam. Se tivesse ido com eles, ele se deitaria na grama, olharia o céu, e só sairia correndo depois que a bola tivesse sido lançada há muito tempo. Mas eles lhe perdoariam, pois ele se poria a lhes contar uma história.

– Foram-se – disse Bernard – e chego atrasado para acompanhá-los. Esses meninos horrendos, embora também tão belos, que Louis e você, Neville, tanto invejam, partiram, virando suas cabeças ao mesmo tempo. Eu, contudo, não presto atenção às distinções sutis de vocês. Meus dedos deslizam sobre as teclas sem saber quais são as brancas e quais as pretas. Archie alcança facilmente cem pontos; eu, às vezes, chego a fazer quinze, por pura sorte. Mas qual é a diferença entre nós? Espere, Neville, deixe-me falar. Bolhas sobem do fundo de uma caçarola numa sucessão de cachos de prata. Imagens juntam-se a imagens. Não consigo sentar-me junto de meu livro, como Louis, com a feroz tenacidade dele. Preciso abrir a portinhola do meu alçapão e deixar que saiam as frases articuladas em que ligo tudo quanto acontece. Desse modo, o sentimento de incoerência é substituído por um vínculo sinuoso que une ductilmente as coisas entre si. Vou contar a vocês uma história do reitor.

– Quando o dr. Crane cambaleia através da porta giratória depois das orações, parece estar convencido de sua imensa superioridade; e, realmente, Neville, não podemos negar que sua saída nos dá não apenas uma sensação de alívio, mas, também, a sensação de que algo em nós foi removido, como quando nos arrancam um dente. Agora, vamos segui--lo através da porta giratória até seus aposentos particulares. Vamos imaginá-lo a se despir, em seu quarto, acima dos estábulos. Ele desaperta as ligas (não há que temer esses detalhes triviais, íntimos). Depois, com um gesto característico (é difícil aceitar essas frases feitas; de todo modo, nesse caso, elas são inteiramente apropriadas), tira as moedas de prata e cobre dos bolsos das calças e as coloca sobre a cômoda. Com as duas mãos repousadas sobre os braços da cadeira, ele reflete (este é o momento em que está sozinho consigo próprio; é neste momento que devemos tentar percebê-lo); será que vai ou não atravessar a passarela rosada que conduz ao quarto de dormir conjugal? O abajur da cabeceira da cama projeta uma luminosidade rósea entre os dois cômodos: a sra. Crane está deitada, os cabelos espalhados sobre o travesseiro, lendo um volume de memórias sobre a Corte francesa. Conforme lê, passa a mão na testa, num gesto abandonado e desesperado, e suspira: "Isso é tudo?", comparando-se com alguma duquesa de França. "Olhe", diz o reitor, "em dois anos vou aposentar-me. Vou para o Oeste, e apararei sebes de teixo no meu jardim. Poderia ter sido almirante, ou juiz, e não um mestre-escola. Que forças", indaga, fitando as labaredas do gás com ombros mais erguidos do que quando os observamos (lembrem-se de que ele está em mangas de camisa), "trouxeram-me até aqui? Que forças incomensuráveis?", pergunta-se ele, entrando na torrente de suas frases imponentes, enquanto olha sobre o ombro para a janela. A noite é tempestuosa; os ramos dos castanheiros agitam-se, e entre eles relampejam estrelas. "Que incomensuráveis forças do bem e do mal trouxeram-me até aqui?", indaga, notando com melancolia que a pressão de sua cadeira fez um pequeno buraco no pelo do tapete cor de vinho. É assim que ele fica, sentado, balançando os braços. As histórias que perseguem as pessoas até seus quartos de dormir são difíceis. Não consigo prosseguir com esta história. Ponho-me a retorcer um pedaço de barbante; reviro quatro ou cinco moedas no bolso de minhas calças.

– As histórias de Bernard me divertem no começo – disse Neville. – Mas, quando disparam absurdamente e ele tenta tomar fôlego, retorcendo um barbante entre os dedos, sinto minha própria solidão. Ele vê todos os seres como imagens com contornos imprecisos. Por isso, com ele, não posso falar de Percival. Não posso expor à simpatia de sua compreensão minha absurda e violenta paixão. Isso também constituiria uma 'história'. Preciso de alguém cuja mente caia como um machado sobre o bloco de madeira; que julgue sublime esse absurdo e adorável laço do cordão de um sapato. A quem expor a urgência de minha paixão? Louis é excessivamente frio, excessivamente universal. Não há ninguém aqui – entre esses arcos cinzentos e esses pombos a gemer tristes, entre esses jogos alegres e essas tradições, essas emulações, tudo metodicamente organizado para evitar que nos sintamos sozinhos. Ainda assim, enquanto caminho, esmagam-me súbitas premonições do que está por vir. Ontem, passando pela porta aberta que conduz à parte reservada do jardim, vi Fenwick com seu bastão erguido. O vapor do samovar espalhava-se pelo gramado. Havia grupos de flores azuis. Depois, subitamente, baixou sobre mim o obscuro, místico sentimento de adoração, de perfeição que triunfa sobre o caos. Ninguém viu meu vulto grave e concentrado, postado no limiar da porta aberta. Ninguém adivinhou a necessidade que eu experimentava de ofertar meu ser a um deus, e de

perecer e de sumir. O bastão do jogador baixou; desfez-se a visão.
— Devo escolher uma árvore? Devo afastar-me dessas salas de aula, dessas bibliotecas, da ampla página amarela em que leio Catulo, trocando tudo por bosques e campos? Devo andar sob as faias ou vaguear ao longo da margem do rio, onde as árvores enlaçam-se entre si nas águas como amantes? A natureza, porém, é demasiado vegetal, demasiado insípida. Não possui mais que grandezas e vastidões e água e folhas. Começo a desejar flamas, privacidade, e o corpo de uma só pessoa.
— Começo a desejar que a noite chegue — disse Louis. — Parado aqui com minha mão na áspera almofada de carvalho da porta do sr. Wickham, imagino-me amigo de Richelieu ou do Duque de Saint-Simon, estendendo ao rei em pessoa uma caixinha de rapé. É privilégio meu. Meus ditos espirituosos correm pela Corte como relâmpagos. Duquesas arrancam esmeraldas de seus brincos por pura admiração — mas esses foguetes disparam melhor na escuridão, na minha cama, à noite. Agora, não passo de um rapaz com sotaque das colônias, pressionando os nós dos dedos contra a porta de áspero carvalho do sr. Wickham. O dia foi repleto de ignomínias e de triunfos, que dissimulo por medo do riso alheio. Sou o melhor aluno do colégio. Mas, quando a noite chega, saio desse corpo inviável — meu nariz grande, meus lábios finos, meu sotaque das colônias — e habito os espaços. Então, faço-me companheiro de Virgílio e de Platão. Sou o último descendente de uma das grandes casas de França. Contudo, sou também aquele que se obrigará a abandonar esses territórios enluarados e varridos pelo vento, esses passeios à meia-noite, e se defrontará com ásperas portas de carvalho. No correr de minha vida — os céus permitam que não seja longa —, farei o gigantesco amálgama das discrepâncias tão cruelmente óbvias em mim. Conseguirei isso à força de tanto sofrer. Vou bater. Vou entrar.

***

– Arranquei do calendário todos os dias de maio e junho – disse Susan – e vinte dias de julho. Arranquei-os e amassei-os, de modo que não existem mais, exceto como um peso no meu coração. Foram dias mutilados, como mariposas noturnas de asas arrancadas, incapazes de voar. Sobram apenas oito dias. Daqui a oito dias, sairei do trem e ficarei parada na plataforma às seis e vinte e cinco. Então minha liberdade desabrochará, e todas as restrições que a enrugam e encolhem – horários, ordem, disciplina, e estar aqui e estar ali na hora exata –, tudo isso se esfacelará. O dia explodirá, quando eu abrir a porta e vir meu pai com seu velho chapéu e suas perneiras. Vou tremer. Vou romper em prantos. Depois, na manhã seguinte, vou levantar ao amanhecer. Sairei pela porta da cozinha. Andarei pelo pântano. Os grandes cavalos montados por fantasmas trovejarão atrás de mim, parando subitamente. Verei a andorinha afagar a relva. Vou atirar-me sobre um banco junto do rio e observarei os peixes deslizando para dentro e para fora dos juncos. As palmas de minhas mãos serão marcadas pelas agulhas dos pinheiros. Lá, desdobrarei e examinarei de perto tudo o que tiver nascido em mim aqui, através dos invernos e verões, pelas escadas e dormitórios. Ao contrário de Jinny, não quero ser admirada. Não quero que as pessoas ergam os olhos de modo admirado quando eu entrar. Quero dar, quero receber, quero solidão onde possa desdobrar em paz tudo o que possuo.

– Depois, voltarei através das trêmulas aleias sob os arcos das folhas de castanheiro. Encontrarei uma anciã empurrando um carrinho de mão transbordante de gravetos, e depois o pastor. Mas não conversaremos. Voltarei pela horta, verei as folhas recurvas dos repolhos cobertas de carvalho e, no jardim, a casa com suas janelas cegas por causa das cortinas. Subirei para meu quarto, mexerei em minhas coisas, cuidadosamente trancadas no armário: minhas conchas, meus ovos de pássaros, minhas bizarras folhas de capim. Alimentarei meus pombos e meu esquilo. Irei ao canil escovar meu *spaniel*. Assim, aos poucos, afastarei essa coisa

dura que cresceu em meu coração. Aqui, porém, as sinetas não cessam de tocar, os pés se arrastam perpetuamente.
— Odeio a escuridão, o sono e a noite — disse Jinny e fico deitada ansiosa para que o dia nasça. Queria que a semana toda fosse um só dia sem divisões. Quando acordo cedo — e os pássaros sempre me acordam —, fico na cama, observando as maçanetas de cobre do armário, depois a pia, depois o porta-toalha, os quais recomeçam a brilhar. À medida que cada objeto brilha no quarto, meu coração bate mais rápido. Sinto meu corpo enrijecer, tornar-se rosado, amarelo, castanho. Minhas mãos passam ao longo de minhas pernas e meu corpo. Sinto-lhe as curvas e a magreza. Gosto de ouvir o gongo soar através da casa toda, e a movimentação que se inicia — aqui um baque surdo, ali um tropel. Portas batem; a água corre. Eis outro dia, eis outro dia, grito, quando meus pés tocam o chão. Poderá ser um dia maculado, um dia imperfeito. Muitas vezes, repreendem-me. Muitas vezes, sou censurada por preguiça, por rir; contudo, até mesmo quando a srta. Matthews resmunga por causa de minha frívola negligência, vejo alguma coisa que se move — talvez uma nódoa de sol num quadro, ou o jumento que puxa a cortadeira de grama através do gramado; ou uma andorinha que voluteia entre as folhas de louro. Assim, nunca fico abatida. Ninguém pode impedir-me de fazer piruetas nas costas da srta. Matthews em meio às orações.
— Agora está chegando o momento de sairmos da escola e usarmos vestidos longos. À noite, usarei colares e um vestido branco sem mangas. Haverá festas em salões iluminados; e um homem me escolherá e me dirá o que ainda não disse a ninguém. Gostará mais de mim do que de Susan ou de Rhoda. Encontrará em mim uma qualidade especial, algo peculiar. Mas não me deixarei prender a uma pessoa só. Não quero ser fixada, manietada. Tremo, vibro, como folha na sebe, sentada balançando os pés na beirada da cama, enquanto se entreabre um novo dia. Tenho cinquenta, sessenta anos a gastar. Ainda não abri o cofre dos meus tesouros. Isto é apenas o começo.

– Faltam horas e horas para que eu possa apagar a luz – disse Rhoda – e deitar-me, suspensa em minha cama, acima do mundo, antes de deixar o dia cair, antes de deixar que minha árvore cresça em frementes pavilhões verdes sobre minha cabeça. Aqui não posso deixá-la crescer. Alguém golpeia através dela. E as pessoas fazem perguntas, interrompem-me, atiram tudo isso ao chão.

– Agora, irei ao banheiro e tirarei meus sapatos e me lavarei; enquanto me lavo e baixo a cabeça sobre a bacia, deixarei o véu de imperatriz da Rússia cascatear pelos meus ombros. Os diamantes da coroa imperial cintilam na minha testa. Ouço o bramido da multidão hostil quando saio para a sacada. Agora, enxugo minhas mãos vigorosamente, de modo que a senhorita cujo nome esqueci não suspeite que ameaço com meu punho cerrado a multidão enfurecida. "Povo, sou a vossa imperatriz." Minha atitude é de desafio. Não tenho medo. Triunfo.

– Mas é um sonho frágil. Uma árvore de papelão. A srta. Lambert a derruba num sopro. Até a visão dela sumindo no corredor basta para tudo esfarelar em átomos. Não é sólido, não me satisfaz o sonho de ser imperatriz. Agora que desabou, deixa-me tremendo no corredor. As coisas parecem mais pálidas. Agora, irei à biblioteca pegar um livro qualquer, ler e olhar em volta; e ler novamente e olhar ainda. Eis um poema que fala de uma sebe. Descerei ao longo dela e colherei flores, os cabaceiros e a flor do espinheiro cor de Lua, as rosas silvestres e as serpentinas de hera. Vou agarrar tudo isso com minhas mãos e colocar no lustroso tampo da escrivaninha. Vou sentar-me na margem trêmula do rio e contemplar os grandes, fúlgidos, nenúfares. Eles derramam sobre o carvalho que cobre a sebe a sua luz úmida como um raio de luar. Colherei flores; vou entrançá-las numa guirlanda única e ofertá-las – Oh! A quem? Há um obstáculo no fluxo do meu ser; um rio profundo pressiona um empecilho; empurra; puxa; um nó resiste no centro de mim. Ah, essa dor, essa agonia! Desfaleço, fracasso. Agora, meu corpo descongela; estou aberta, estou incandescente. Agora, o rio se derrama, vasta maré fertilizante rompendo eclusas, insinuando-se à força por entre as gretas, inundando livremente a terra. A quem darei tudo o que flui através de mim, de meu corpo cálido, meu corpo poroso? Juntarei minhas flores e as darei – Oh! A quem? – Marinheiros e casais de namorados passeiam sem destino pelo quebra-mar. Ônibus matraqueiam ao longo do mar em direção à cidade. Quero dar; quero enriquecer alguém; quero devolver toda essa beleza ao mundo. Vou trançar minhas flores numa guirlanda única e, avançando com a mão estendida, haverei de dá-las – Oh! A quem?

***
– Agora – disse Louis –, este é o último dia do último período, o último dia para Neville, Bernard e eu. Recebemos tudo o que nossos mestres tinham para nos dar. A iniciação foi feita e o mundo, apresentado. Os mestres ficam, nós partimos. O imenso reitor, a quem respeito mais que a todos os homens, oscilando um pouco entre as mesas, entre os volumes encadernados, distribuiu Horácio, Tennyson, as obras completas de Keats e Mathew Arnold, com as dedicatórias adequadas. Respeito a mão que os deu. Ele fala com absoluta convicção. Para ele, suas palavras são verdadeiras, embora não para nós. Falando com voz áspera por causa da profunda emoção, arrebatadamente, ternamente, disse-nos que estamos prestes a partir. Ordenou que "nos portássemos como homens". (Nos lábios dele, citações da *Bíblia* e do *Times* parecem igualmente magníficas.) Alguns farão isto; outros, aquilo. Alguns nunca mais se encontrarão. Neville, Bernard e eu não nos reencontraremos aqui. A vida nos apartará. Mas formamos certos laços. Acabaram nossos anos de infância, de irresponsabilidade. Mas forjamos certos elos. Acima de tudo, herdamos tradições. Estas lajes são usadas há seiscentos anos. Nestas paredes estão inscritos os nomes de guerreiros, estadistas, alguns poetas infelizes (o meu estará entre estes). Abençoadas todas as tradições, todas as salvaguardas e limitações! Sou extremamente grato a vós, homens de trajes negros, e a vós, mortos, pelo vosso

exemplo, pela vossa proteção; apesar de tudo, porém, o problema permanece. As contradições ainda não foram conciliadas. Flores movem suas cabeças contra a janela. Vejo pássaros selvagens, e instintos mais selvagens do que os mais selvagens pássaros erguem-se do meu selvagem coração. Meus olhos são selvagens; meus lábios, firmemente comprimidos. O pássaro voa; a flor dança; mas eu ouço sempre o embate monótono das ondas; e a besta acorrentada pateia na praia. Pateia sem parar.

– Esta é a cerimônia final – disse Bernard. – Esta é a última de todas as nossas cerimônias. Somos assolados por estranhas sensações. O chefe do trem segura sua bandeira, prestes a soprar seu apito: o trem exala seu vapor e partirá daqui a pouco. A gente quer dizer algo, sentir algo absolutamente apropriado para a ocasião. A mente está preparada; os lábios franzidos. Então, uma abelha chega, vagueando, zumbe em redor das flores no ramo de Lady Hampton, esposa do General; está cheirando para mostrar o quanto apreciou o cumprimento. E se a abelha picasse o nariz dela? Todos ficamos profundamente comovidos; ainda assim, porém, irreverentes; ainda assim, penitentes; ainda assim, ansiosos para que tudo isso acabe; ainda assim, relutamos em partir. A abelha nos distrai; seu voo casual parece zombar da intensidade de nossas emoções. Zumbindo vagamente, planando no espaço, agora instalou-se num cravo. Muitos de nós não se encontrarão nunca mais. Não gozaremos mais de certos prazeres, quando nos sentirmos livres para irmos para a cama, ou nos sentarmos, quando eu não precisar mais contrabandear para o quarto tocos de vela e literatura imortal. Agora, a abelha zumbe em torno da cabeça do imenso reitor. Larpent, John, Archie, Percival, Baker e Smith – gostei bastante deles. Entre os alunos, não conheci mais que um menino bruto; não odiei mais que um menino perverso. Saboreio retrospectivamente meu café da manhã na mesa do reitor, onde serviam torrada e geleia, e eu me sentia terrivelmente desajeitado. Só ele não percebe a abelha. Se pousasse em seu nariz, ele a afastaria com um

gesto imponente. Agora, ele acaba de dizer sua piadinha; agora, sua voz está quase alquebrada. Agora, estamos dispensados – Louis, Neville e eu – para sempre. Pegamos nossos livros lustrosos, com dedicatórias escolásticas traçadas numa letrinha severa. Erguemo-nos, dispersamo-nos; a pressão está sendo removida. A abelha tornou-se insignificante, um inseto que não se nota, voa pela janela aberta e se perde na obscuridade. Partiremos amanhã.
– Estamos prestes a nos separar – disse Neville. – Aqui estão os baús; aqui, fiacres. Lá está Percival com seu chapéu de feltro. Ele me esquecerá. Deixará sem resposta minhas cartas, que ficarão em meio a suas espingardas, seus cães. Eu lhe mandarei poemas, talvez ele responda com um cartão-postal. Mas é por isso que o amo. Proporei um encontro – debaixo de um relógio, ou numa encruzilhada; esperarei, e ele não virá. É por isso que o amo. Ele se afastará da minha vida, esquecido, quase inteiramente ignorante do que foi para mim. E, por incrível que pareça, entrarei em outras vidas; talvez não seja mais que uma escapada, um simples prelúdio. Embora não consiga suportar a pomposa palhaçada do reitor e suas emoções fingidas, já sinto a aproximação das coisas que até agora só percebemos vagamente. Serei livre para entrar no jardim em que Fenwick ergue seu bastão: os que me desprezam reconhecerão minha soberania. No entanto, por alguma imperscrutável lei, minha soberania e meu poder não me bastarão; continuarei a deslizar para trás das cortinas, para o seio da intimidade, em busca de palavras sussurradas a sós. Por isso parto, hesitante, mas altivo; sentindo uma dor intolerável, mas seguro de que vou triunfar nessa aventura após tanto sofrimento, seguro – quero crer – de que no fim descobrirei o objeto do meu desejo. Pela última vez, contemplo a estátua do piedoso fundador do colégio; sua cabeça está cercada pelos pombos. Eternamente os pombos girarão em torno de sua cabeça, embranquecendo-a com suas fezes, enquanto o órgão gemerá na capela. Vou pegar minha passagem e, quando achar meu lugar no canto do nosso compartimento

reservado, levarei um livro a meus olhos para esconder uma lágrima. Erguerei meu livro à frente de meus olhos para observar à vontade, para espreitar um rosto. É o primeiro dia das férias de verão.

* * *

– É o primeiro dia das férias de verão – disse Susan. – Mas o dia ainda se mostra embrulhado como num pacote. Não o examinarei antes de descer do trem à noite. Não me permitirei cheirá-la antes de respirar o frio ar verde dos campos. Esses, porém, já não são os campos do colégio; não são as sebes do colégio; os homens nesses campos fazem coisas reais; enchem carroças com feno de verdade; essas são vacas de verdade, não as vacas do colégio. Mas o cheiro de desinfetante dos corredores e o cheiro de giz das salas de aula ainda se entranham em minhas narinas. A aparência vítrea, lustrosa dos assoalhos ainda se imprime em meus olhos. Preciso aguardar campos e sebes, bosques e campos e encostas em declive na via férrea, salpicadas de arbustos de tojo, e caminhões e estradas e túneis e jardins de subúrbio com mulheres estendendo roupa lavada, e depois novamente campos e crianças balançando-se nos portões, a fim de recobrir e enterrar profundamente o colégio que odiei.

– Não mandarei meus filhos ao colégio nem passarei uma só noite em Londres em toda a minha vida. Aqui, nessa imensa estação, tudo ecoa e reboa num som cavo. A luz é como uma luz amarela filtrada sob um toldo. Jinny mora aqui. Jinny leva seu cão a passear nestas calçadas. Aqui, as pessoas passam silenciosas pelas ruas. Não olham para nada, só para vitrines. Suas cabeças sobem e descem à mesma altura. As ruas são unidas por fios de telégrafo. As casas são todas em vidro, em festões e resplendores. Agora, só vejo portas de frente e cortinas de renda, pilares e degraus brancos. Passamos adiante, saímos novamente de Londres; recomeçam os campos, e as casas e as mulheres pendurando roupa lavada, e as árvores e ainda os campos. Londres agora está velada, desvaneceu-se, esfarelou-se, ruiu por terra. O cheiro de desinfetante e de terebintina começa a perder sua força. Respiro o odor dos campos de trigo e de nabos. Desfaço um pacote amarrado com um barbante branco. Cascas de ovo escorregam na cavidade entre meus joelhos. Agora, paramos em uma estação após outra, o trem descarrega vasilhames de leite. Agora, mulheres se beijam e ajudam-se com as cestas. Agora, vou debruçar-me para fora da janela. O ar invade meu nariz e minha garganta – o ar frio, o ar salgado com cheiro de plantações de nabo. Lá está meu pai de costas, falando com um fazendeiro. Tremo. Choro. Lá está meu pai de perneiras. Lá está ele.

– Sento-me aconchegada no meu canto, indo para o Norte – disse Jinny –, neste trem-expresso trovejante, tão brando, porém, que alisa sebes e alonga colinas. Disparamos por entre as sinalizações; fazemos a terra oscilar levemente de um lado para outro. O horizonte sempre se fecha num ponto; e sempre o abrimos novamente. Os postes de telégrafo ondulam incessantemente; um se abaixa, outro se ergue. Agora, rugimos e disparamos por um túnel. O cavalheiro levanta a janela. Ao longo do túnel, vejo imagens que se refletem no vidro brilhante. Vejo o cavalheiro baixar seu jornal. Ele sorri para meu reflexo no túnel. Instintivamente, como se comandado, por si próprio, meu corpo palpita sob esse olhar. Meu corpo adquire vida própria. Agora, a vidraça negra ficou verde outra vez. Estamos fora do túnel. Ele lê seu jornal. Contudo, trocamos a mútua aprovação de nossos corpos. Então existe uma grande sociedade de corpos, e o meu acaba de ser apresentado a ela; meu corpo entrou na sala em que estão as cadeiras douradas. Vejam – todas as janelas das mansões e suas alvas cortinas dançam; e os homens sentados nas cercas dos trigais, com lenços azuis amarrados ao pescoço, também percebem, como eu, o calor e o êxtase. Um acena quando passamos. Há pérgulas e caramanchões nos jardins das mansões, e rapazes em mangas de camisa nas escadas, podando roseiras. Um homem trota a cavalo pelo campo. O cavalo corcoveia quando passamos. E o cavaleiro volta-se para nos olhar. Ainda uma vez, trovejamos pela escuridão adentro.

Recosto-me, entrego-me ao êxtase, imagino que, ao sairmos do túnel, entrarei num aposento iluminado, repleto de cadeiras, numa das quais me sentarei, admirada por todos, o vestido cascateando ao meu redor. Mas – atenção! –, erguendo os olhos, deparo com o olhar de uma mulher carrancuda que suspeita de meu êxtase. Como um guarda--sol, meu corpo fecha-se insolente na cara dela. Abro meu corpo, fecho meu corpo à vontade. A vida está apenas começando. O tesouro da minha vida ainda está intacto.
 – Este é o primeiro dia das férias de verão – disse Rhoda. – E agora, quando o trem passa por estas rochas rubras, esse mar azul, o período escolar cumprido forma um só vulto atrás de mim. Vejo sua cor. Junho foi todo branco, com os campos cobertos de margaridas e incontáveis vestidos brancos, e também as canchas de tênis marcadas por listras brancas. Depois, houve o vento e violentos trovões. Uma estrela cavalgava entre nuvens certa noite, e eu disse a ela: "Devora-me". Era já pleno verão, depois da festa no jardim, festa em que me senti humilhada. O vento e a tempestade coloriram julho. E, bem no meio, cadavérica, horrível, houve a poça cinzenta do pátio, perto da qual eu passei, segurando um envelope, quando me mandaram levar uma mensagem. Senti-me à beira da morte. Não consegui passar por cima dela. Meu senso de identidade esvaiu-se. Não somos nada, gritei, e caí. Senti-me soprada como uma pluma, arremessada através de túneis. Depois, cautelosamente, avancei meu pé por sobre a poça. Apoiei a mão numa parede de tijolos. Voltei atrás com grande cuidado, trazendo-me de regresso a meu próprio corpo por cima do espaço cinza e cadavérico da poça de lama. Esta é a vida a que estou destinada.
 – Assim me livro do período de verão. Com choques intermitentes, súbita como os botes de um tigre, a vida, ofegante, faz emergir do mar sua crista negra. É a esse monstro que estamos ligados; é a esse monstro que estamos presos, como corpos em cavalos selvagens. Contudo, é certo que inventamos artifícios para preencher fendas e dissimular fissuras. Aqui está o inspetor que recolhe as passagens. Há

dois homens; três mulheres; um gato num cesto; eu com meu cotovelo no peitoril da janela – isto é aqui e agora. Seguimos adiante, partimos entre os murmúrios de trigais dourados. Mulheres nos campos surpreendem-se por serem deixadas para trás com suas enxadas. Agora, o trem resfolega pesadamente, respira em meio a estertores, pois está subindo cada vez mais. Por fim, atingimos o topo do pântano. Aqui vivem apenas alguns carneiros selvagens, alguns pôneis de pelo cerrado; mas temos todo o conforto; mesas para colocar nossos jornais, alças para sustentar nossos copos. Passamos para o cume, carregando esses utensílios. O silêncio se fechará atrás de nós. Se olho para trás, por cima deste crânio calvo, posso ver o silêncio já se fechando, e as sombras das nuvens perseguindo-se umas às outras sobre o pântano vazio; o silêncio fecha-se depois da nossa passagem. Digo isto neste momento; este é o primeiro dia das férias de verão. Tudo isso faz parte do monstro que emerge, o monstro ao qual estamos ligados.

***

– Agora, estamos a caminho – disse Louis. – Agora, estou suspenso sem amarras. Não estamos em lugar algum. Atravessamos a Inglaterra de trem. A Inglaterra desliza diante da janela, sempre mudando de colinas para florestas, de rios e salgueiros para novas cidades. E não tenho chão firme para onde ir. Bernard e Neville, Percival, Archie, Larpent e Baker vão a Oxford ou Cambridge, a Edimburgo, Roma, Paris, Berlim ou para alguma universidade americana. Eu sou alguém que segue vagamente, a fim de ganhar dinheiro vagamente. É por isso que uma sombra pungente, um significado atroz baixam sobre estas sedas douradas, estes campos de papoulas, este trigo ondulante que nunca transborda de seus limites, mas corre tremulando até suas margens. Este é o primeiro dia de uma nova vida, outro raio desta roda que não para de crescer. Meu corpo, porém, passa errante como a sombra de um pássaro. Eu deveria ser transitório como a sombra sobre o campo, ora desvanecendo--se, ora escurecendo e morrendo ao encontrar a floresta, se não coagisse meu cérebro a se condensar por trás da minha fronte; forço-me a exprimir este momento, ainda que num verso de um poema não escrito; a marcar esta polegada na longa história que começou no Egito, no tempo dos faraós, quando mulheres carregavam cântaros vermelhos até o Nilo. Parece que já vivi milhares de anos. Contudo, se agora cerro os olhos, não consigo perceber onde se encontram passado e presente, pois estou sentado num vagão de terceira classe cheio de rapazes indo de férias para casa, e a história humana se defrauda na visão de um momento. O olho desta visão, que veria através de mim, fecha-se – agora, durmo; por negligência ou covardia enterro-me no passado, no escuro; ou faço-me aquiescente, tal como Bernard, que conta histórias; ou fico presunçoso, tal como Percival, Archie, John, Ealther, Lathom, Larpent, Roper, Smith – os nomes são sempre os mesmos, os nomes desses rapazinhos presunçosos. Todos se jactam, todos falam, exceto Neville, que de vez em quando escorrega um olhar sobre um romance francês, pois Neville deslizará sempre para dentro de salas com sofás e lareiras, com muitos livros e um amigo, enquanto eu batalharei numa mesa de escritório, atrás de um guichê. E ficarei amargo e debocharei deles. Invejarei sua persistência nas coisas tradicionais à sombra de velhos teixos enquanto me ligarei com gente suburbana, com os contínuos, e perambularei pelas calçadas da cidade.

– Mas agora, desincorporado, sem domicílio, passando pelos campos – ali há um rio; um homem pesca; ali há uma torre de igreja, ali a rua da aldeia com sua taverna de janelas góticas –, tudo me parece nebuloso e como imerso em sonho. Estes pensamentos duros, esta inveja, esta amargura não se alojam em mim. Sou o fantasma de Louis, um passante efêmero, em cuja mente os sonhos são poderosos e um jardim ressoa quando, ao amanhecer, pétalas flutuam em profundezas insondáveis e os pássaros cantam. Mergulho, banho-me nas claras águas da infância. Seu tênue véu tremula. Mas a besta acorrentada não para de patear na praia.

– Louis e Neville estão sentados em silêncio – disse Bernard. – Ambos absortos. Ambos sentindo a presença de outras pessoas como uma parede que separa. Eu, porém, se estou com outras pessoas, as palavras logo formam anéis de fumaça – vejam como imediatamente as frases começam a fluir em espirais dos meus lábios. Parece que um fósforo pegou fogo, algo está queimando. Um homem de certa idade, aparentemente próspero, um viajante, acaba de entrar. Imediatamente, desejo aproximar-me dele; instintivamente, aborrece-me a sensação de sua presença fria, inassimilada entre nós. Não creio em separação. Não somos seres isolados. Também desejo aumentar minha coleção de valiosas observações sobre a verdadeira natureza da vida humana. Meu livro sem dúvida terá vários volumes, abrangendo todas as variedades conhecidas de homens e mulheres. Encho minha mente com tudo o que está contido num aposento ou num vagão de trem, tal como se enche uma caneta num tinteiro. Minha sede é contínua, insaciável. Agora sinto, por sinais imperceptíveis que ainda não posso interpretar, mas poderei mais tarde, que a desconfiança do viajante está prestes a se desfazer. Sua solidão mostra sinais de querer romper-se. Ele fez uma observação sobre uma casa de campo. Um anel de fumaça brota de meus lábios (falo sobre as colheitas) e o envolve, entrando em contato com ele. A voz humana tem uma qualidade que desarma (não somos seres isolados; somos um). Quando trocamos esses poucos mas amáveis comentários sobre casas de campo, eu o restauro e o torno concreto. Trata-se provavelmente de um marido indulgente, embora infiel; talvez um pequeno construtor que emprega poucos homens. Ocupa lugar importante no meio social de sua cidade; já é conselheiro e talvez um dia seja prefeito. Usa um enfeite grande, feito de coral, como um molar arrancado na raiz, pendurado na corrente do relógio. Walter J. Trumble é o tipo de nome que combinaria com ele. Esteve nos Estados Unidos, em viagem de negócios, com sua mulher, e um quarto de casal num hotel pequeno custou-lhe

o ordenado de todo um mês. Seu dente da frente tem uma obturação de ouro.
– O fato é que tenho pouca aptidão para a meditação. Necessito do que é concreto em todas as coisas. Só assim consigo tocar o mundo. Contudo, uma boa frase parece-me ter existência independente. Ainda assim, acho que as melhores frases são feitas na solidão. Exigem não sei que refrigeração final que não lhes posso dar, eu que vivo a chapinhar em meio a palavras mornas, solúveis. Apesar disso, porém, meu método leva certas vantagens sobre os deles. Neville sente repulsa pela grosseria de Trumble. Louis, dando uma olhada, avança com passinhos curtos de garça altiva e apanha palavras como se usasse pinças para pegar cubinhos de açúcar. É verdade que seus olhos – selvagens, risonhos, embora desesperados – exprimem algo que não avaliamos. Há em Louis e Neville uma precisão, uma exatidão que admiro e que jamais terei. Agora, começo a notar que é preciso agir. Aproximamo-nos de um entroncamento. Aqui, terei de descer. Vou embarcar num trem para Edimburgo. Não posso realmente tocar esse fato com as mãos – ele se aloja frouxo entre meus pensamentos como um botão, uma moedinha. Eis o velhote jovial que recolhe as passagens. Eu tinha uma, certamente tinha. Mas não importa. Ou a encontro ou não a encontro. Examino minha carteira. Verifico em todos os meus bolsos. Estas são coisas que não cessam de interromper o processo – no qual estou para sempre engajado – de encontrar uma frase perfeita, que sirva exatamente para o momento que passa.
– Bernard se foi sem achar sua passagem – disse NeviIle.
– Escapou de nós, fazendo uma frase, acenando com a mão. Falava tão facilmente com o criador de cavalos ou com o encanador quanto conosco. O encanador aceitou-o com devoção. "Se tivesse um filho assim", pensava ele, "daria um jeito de mandá-lo para Oxford." Mas o que sentia Bernard pelo encanador? Não estaria apenas querendo dar seguimento à história que jamais cessa de contar a si mesmo? Começou-a ainda quando fazia bolinhas com pão em

criança. Uma bolinha era um homem, outra uma mulher. Todos somos bolinhas de pão. Todos somos frases na narrativa de Bernard, coisas que ele anota em seu caderno, na letra "A" ou na "B". Ele narra nossa história com extraordinária compreensão, exceto quando se trata dos sentimentos que experimentamos mais profundamente. Pois ele não precisa de nós. Jamais depende de nossa clemência. Lá está ele, acenando com os braços na plataforma. O trem partiu sem ele. Bernard perdeu sua conexão. Perdeu a passagem. Pouco importa. Ele irá ao bar e conversará com a garçonete sobre a natureza do destino humano. Vamos partir, e ele já nos esqueceu; saímos do campo de sua visão; seguiremos nosso caminho, plenos de sensações indecisas, meio amargas, meio doces, pois Bernard é alguém que merece compaixão, ele que enfrenta o mundo com suas frases inacabadas, ele que perdeu sua passagem de trem. Ele que também merece ser amado.

Agora, pretendo voltar a ler. Ergo o livro até quase cobrir meus olhos. Mas não posso ler na presença de criadores de cavalos e encanadores. Não tenho o poder de me insinuar entre as pessoas. Não admiro esse homem, ele não me admira. Pelo menos, quero ser honesto. Quero denunciar este mundo disparatado, frívolo, enfatuado; estas poltronas de crina; estas fotos coloridas de quebra-mares e diques. Eu poderia gritar diante da presunção, da mediocridade deste mundo que produz criadores de cavalos com ornamentos de coral pendurados nas correntes dos seus relógios. Há esta força em mim que os consumirá inteiramente. Meu riso fará com que se contorçam em suas poltronas; fará com que uivem diante de mim. Não: eles são imortais. São triunfantes. Tornarão impossível para mim ler sempre Catulo num vagão de terceira classe. Em outubro, farão com que me refugie numa das universidades em que me tornarei deão; e irei com outros professores à Grécia; e pronunciarei conferências sobre as ruínas do Partenon. Seria melhor criar cavalos e viver numa dessas mansões vermelhas do que ficar entrando e saindo dos esqueletos de Sófocles e

Eurípides feito um verme, na companhia de uma mulher culta, uma dessas universitárias. Este, porém, será o meu destino. Vou sofrer. Já aos 18 anos sou capaz de tanto desdém que até criadores de cavalo me odeiam. Este é o meu triunfo: não faço concessões. Não sou tímido. Não tenho sotaque. Não me inquieto quanto ao que as pessoas possam pensar de "meu pai que é banqueiro em Brisbane", como Louis.
Agora, aproximamo-nos do centro do mundo civilizado. Lá estão os gasômetros familiares. Lá, as praças públicas cortadas por alamedas asfaltadas. Lá estão os amantes deitados despudoradamente, boca contra boca, na relva crestada. Agora, Percival já está quase chegando à Escócia; seu trem atravessa os pântanos vermelhos; ele vê a longa linha das colinas da fronteira e os muros das fortificações romanas. Lê um romance policial, e compreende tudo.
O trem diminui a velocidade ao nos aproximarmos de Londres, do centro, e meu coração também hesita, cheio de medo e exultação. Estou prestes a encontrar – o quê? Que extraordinária aventura me aguarda entre os furgões dos correios, os porteiros, as multidões chamando táxis. Sinto-me insignificante, perdido, mas exultante. Paramos com um choque suave. Deixarei os outros saírem antes de mim. Ficarei sentado, quieto, por um momento, antes de emergir nesse caos, nesse tumulto. Não quero antecipar o que está por vir. O grande tumulto está em meus ouvidos. Soa e ressoa sob esse teto de vidro como a ressaca do mar. Somos lançados na plataforma com nossas malas. Somos afastados por um redemoinho. Meu senso de mim mesmo, meu desdém, quase desaparecem. Sou empurrado, esmagado, projetado para o céu. Saio para a plataforma, agarrando firme tudo o que possuo: uma mala.

***

O Sol ergueu-se. Barras amarelas e verdes tombaram na praia, dourando os flancos do bote carcomido e fazendo o cardo-marinho e suas folhas duras reluzirem azuis como aço. A luz quase perfurava as ondas tênues, balouçantes, correndo em forma de leque sobre a praia. A jovem que sacudira a cabeça e fizera dançar todas as joias, o topázio, a água-marinha, as joias cor de água com centelhas de fogo agora expôs sua testa e com olhos bem abertos traçou um caminho reto sobre as ondas. A espuma cintilante escureceu; as ondas se confundiram; suas cavidades verdes aprofundaram-se, atravessadas talvez por cardumes de peixes erradios. Quando rebentaram e recuaram novamente, deixaram na praia uma orla negra de gravetos e cortiça, tiscos de palha e raminhos, como se alguma leve chalupa tivesse naufragado e rompido os cascos, e o marinheiro houvesse nadado para a praia, escalando a falésia e deixando sua frágil carga ser levada pela corrente.

No jardim, os pássaros que pipilavam à toa, espasmodicamente, na penumbra de uma árvore, de um arbusto, agora cantavam em coro, em tom estridente e nítido, ora juntos, como conscientes de sua camaradagem, ora sozinhos, como se cantassem para o pálido céu azul. Revoaram todos ao mesmo tempo, quando o gato preto se moveu ao longo dos arbustos, quando a cozinheira jogou brasas sobre um monte de cinzas e os espantou. Havia medo no seu canto, e suspeita de dor, e também a alegria que se extrai rapidamente do instante. Depois, cantaram todos de maneira estimulante no límpido ar da manhã, voando sobre os olmos, perseguindo-se uns aos outros, escapando, caçando-se, picando-se, rodopiando alto no céu. Em seguida, cansados da perseguição e do voo, desceram docemente, baixaram delicadamente, pousaram silenciosos nas árvores, nos muros, olhos brilhantes à espreita, cabecinhas viradas para cá, para lá; atentos, despertos; intensamente conscientes de alguma coisa, um objeto em particular.

Talvez se tratasse de um caracol que se erguia da relva como uma catedral cinzenta, um edifício incendiado, marcado por círculos escuros, na sombra verde da relva. Ou talvez eles vissem o esplendor das flores disseminando uma luz de fluido violeta nos canteiros, através da qual escuros túneis de sombra roxa perpassavam entre os caules. Ou então fixavam o olhar nas folhinhas finas da macieira, dançando, mas de modo contido, cintilando hirtas entre as flores de bordas cor-de-rosa. Ou viam uma gota de chuva na sebe, pendente mas sem cair, com a imagem de uma casa inteira contida dentro dela, e os olmos altos como torres; ou, então, contemplando de frente o sol, seus olhos tornavam-se grãos de ouro.

Olhando para um lado e outro, viam profundamente, entre as flores, as escuras avenidas do mundo sem luz em que as folhas apodrecem e as flores tombam. Depois, disparando lindamente, como um dardo, baixando cuidadosamente, um deles bicou um mole, monstruoso verme indefeso, bicou mais uma vez e outra, e deixou-o para que apodrecesse. Lá embaixo, entre as raízes onde as flores se decompunham, sopravam lufadas de morte; gotas formavam-se nos flancos intumescidos de coisas inchadas. A pele das frutas podres rompia-se, e uma substância deslizava, grossa demais para escorrer. Lesmas exsudavam secreções amarelas, e aqui e ali algum corpo amorfo, com uma cabeça em cada ponta, oscilava lento de um lado para outro. Os pássaros de olhos dourados, disparando entre as folhas, observavam ironicamente essa purulência, essa umidade. De vez em quando, mergulhavam selvagemente as pontas dos seus bicos nessa mistura sufocante.

Enfim, o Sol atingiu a altura da janela, roçou a cortina bordada de vermelho e iluminou círculos e linhas. A brancura da luz nascente instalou-se no fundo do prato; seu brilho concentrou-se no fio da faca. Cadeiras e armários também reluziram, de modo que, embora separados uns dos outros, pareciam inextricavelmente entrelaçados. O espelho branqueou suas águas na parede. A flor real no peitoril da janela era assistida por uma flor fantasma. E, no entanto, o fantasma fazia parte da flor verdadeira, pois, quando um botão rebentava livre, um outro botão semelhante desabrochava também na flor mais pálida do espelho.

O vento soprou. As ondas rufavam na praia como guerreiros com turbantes, como homens com turbantes, que brandiam suas azagaias envenenadas sobre suas cabeças, precipitando-se ao encontro dos rebanhos de ovelhas brancas.

***

– A complexidade das coisas torna-se mais presente aqui na universidade – disse Bernard –, onde o movimento e a pressão da vida são extremos, e onde a excitação de simplesmente viver se torna a cada dia mais urgente. A cada instante, pesco algo de novo no fundo desse enorme saco de surpresas. O que sou eu? Indago. Isto? Não. Sou aquilo. Especialmente agora, que deixei uma sala e pessoas nela conversando, e as lajes de pedra ecoam sob meus passos solitários, e contemplo a Lua que se ergue, sublime e indiferente, por cima da antiga capela – torna-se claro que não sou uno nem simples, mas complexo, múltiplo. Em público, Bernard borbulha; em particular, é um ser secreto. É isso que não entendem, pois agora sem dúvida falam de mim, dizendo que lhes escapo, que sou evasivo. Não entendem que preciso passar pelas mais diversas transições; preciso estar atento às entradas e saídas de vários indivíduos que desempenham alternadamente o papel de Bernard. Sou anormalmente consciente das circunstâncias. Jamais consigo ler um livro num vagão de trem sem perguntar: Ele será um construtor? Ela será infeliz? Hoje, percebi claramente que o pobre Simes, com sua cara cheia de espinhas, sofria com amargura por ser remota sua chance de causar boa impressão a Billy Jackson. Sentindo pena dele, convidei-o pressurosamente a jantar comigo. Ele atribuirá o convite a uma admiração que não sinto. É verdade. Mas, "ao mesmo tempo que com a sensibilidade de uma mulher" (cito meu futuro biógrafo), "Bernard tinha a sobriedade lógica de um homem". Pessoas que dão impressão de serem simples e, de modo geral, boas (pois parece haver virtude na simplicidade) são as que se mantêm em equilíbrio, numa distância igual das duas margens, em pleno rio. (Vejo instantaneamente peixes com os focinhos em uma só direção, a correnteza disparando em outra.) Canon, Lycett, Peters, Hawkins, Larpent, Neville – todos eles, peixes na correnteza. Mas *você* compreende, *você*, o meu eu, que sempre acorre a meu chamado (seria uma experiência atroz chamar e não aparecer ninguém), você compreende que o que andei dizendo esta noite só superficialmente dá uma ideia de mim. Por dentro, no momento em que me mostro mais incongruente, sou também um ser integrado. Simpatizo de modo efusivo; contudo, sento-me como um sapo numa toca e recebo com frieza o que aparecer. Poucos dentre vocês, que agora discutem sobre minha pessoa, dispõem dessa dupla capacidade de sentir e de raciocinar. Lycett, vocês sabem, acredita em correr atrás de lebres; Hawkins passou a tarde extremamente ocupado na biblioteca. Peters está enamorado de uma jovem na biblioteca circulante. Vocês todos estão envolvidos, comprometidos, atraídos, as energias concentradas em suas capacidades – todos, exceto Neville, cujo espírito é complexo demais para que apenas uma atividade o imobilize. Também eu sou por demais complexo. No meu caso, algo sempre flutua, desvinculado de tudo.

– Agora, como prova de minha sensibilidade a toda essa atmosfera, ao entrar em meu quarto e acender a luz, vendo a folha de papel, a mesa, meu robe negligentemente atirado no encosto da cadeira, sinto que sou um homem enérgico embora reflexivo, uma figura arrojada e audaciosa, que despe com leveza sua capa, pega a pena e num ímpeto escreve a uma moça que ele ama apaixonadamente.

– Sim, tudo agora é propício. Estou disposto. Posso escrever a carta tantas vezes iniciada. Acabo de entrar; atirei longe chapéu e bengala; estou escrevendo a primeira coisa que me vem à cabeça, sem me preocupar em colocar a folha em posição correta. Será uma pequena obra-prima brilhante, que ela deverá julgar escrita sem pausa e sem qualquer rasura. Vejam como as letras são informes – e bem ali, uma mancha descuidada. Devo sacrificar tudo à rapidez e à negligência. Escreverei em letra rápida, apressada, miúda, exagerando o traço do "Y" para baixo, e cortando o "T" assim – num só impulso. A data deverá ser apenas terça, 17, e depois um ponto de interrogação. No entanto, também devo dar a impressão de que, embora ele – este que não sou eu – escreva de modo improvisado, precipitado, existe uma sutil sugestão de intimidade e respeito. Preciso aludir às conversas que tivemos – trazer de volta alguma cena lembrada. Devo também parecer-lhe (é da máxima importância) alguém que passa de um assunto a outro com a maior facilidade. Passarei da cerimônia fúnebre por causa do

homem recém-afogado (tenho a frase certa para isso) à sra. Moffat e seus ditos (eu os anotei) e a algumas reflexões aparentemente casuais, mas profundas (às vezes, uma crítica profunda é escrita de maneira casual), sobre algum livro que li, algum livro bastante especial. Quero que ela venha a dizer, enquanto escova os cabelos ou apaga a vela: "Onde foi que li isso? Ah, na carta de Bernard". Preciso do efeito rápido, ardente, fluido, exercendo-se de frase em frase. Em quem estou pensando? Byron, naturalmente. Sob alguns aspectos, sou como Byron. Talvez um pouco de Byron ajude-me a encontrar o melhor tom. Lerei uma página dele. Não; é monótono, é descosido, é formal demais. Agora, começo a pegar o jeito. Agora, sinto pulsar minha mente (nada mais importante que o ritmo, quando se escreve). Agora, começarei sem interrupções, na cadência mesma do impulso.
— A coisa, porém, se achata. Esgota-se. Não consigo ímpeto suficiente que me conduza por entre as transições. Meu verdadeiro "eu" afasta-se de meu "eu" factício. E, se me puser a reescrever, ela dirá: "Bernard está posando de literato; Bernard está mais é pensando em seu futuro biógrafo" (o que é verdade). Não, escreverei a carta amanhã, depois do café.
— Agora, encherei meu espírito de imagens. Vou supor que me pediram que passassem alguns dias em Restover, King's Laughton, a três milhas da estação de Langley. No pátio dessa casa arruinada, mas muito digna, há dois ou três cães furtivos de pernas compridas. Tapetes desbotados no vestíbulo; um militar fuma cachimbo, andando para cá e para lá no terraço. A atmosfera é de pobreza elegante e supõe relações militares. O casco de um cavalo de caçadas repousa sobre a escrivaninha – um cavalo favorito. "Você cavalga?" "Sim, senhor, adoro andar a cavalo." "Minha filha espera por nós na sala de visitas." Meu coração bate contra minhas costelas. Ela está postada junto a uma mesinha baixa; esteve caçando; come sanduíches como se fosse um moleque. Causo impressão bastante favorável no coronel. Acha-me

não muito inteligente, e não sou dos mais mal-educados. Além disso, jogo bilhar. Depois, entra a simpática criada que trabalha com a família há trinta anos. O desenho dos pratos representa pássaros orientais de longas caudas. O retrato da mãe dela em vestido de musseline está pendurado sobre a lareira. Posso esboçar com extraordinária facilidade esse ambiente. Conseguirei, porém, fazer com que funcione? Poderei ouvir a voz dela – o tom exato com que, quando estamos sós, diz "Bernard"? E depois?
– A verdade é que preciso do estímulo de outras pessoas. Sozinho diante do fogo apagado, inclino-me a ver as partes fracas de minhas histórias. O verdadeiro romancista, o ser humano perfeitamente simples, poderia continuar imaginando indefinidamente. Não integraria as coisas numa só síntese como eu. Não teria essa sensação devastadora de cinzas frias numa grelha apagada. Uma cortina cerra meus olhos. Tudo se torna impenetrável. Cesso de inventar.
– Quero lembrar. De modo geral, foi um dia bom. A gota que se forma no telhado da alma a cada noite é agora redonda e multicolorida. Houve a manhã, ótima; houve a tarde com seu passeio. Gosto de paisagens com torres sobre campos cinzentos. Gosto de olhar por entre os ombros das pessoas. As coisas não pararam de entrar em minha cabeça. Sentia-me imaginoso e sutil. Depois do jantar, mostrei-me brilhante. Dei forma concreta a muitas coisas indistintamente observadas em nossos amigos comuns. Passei com facilidade por entre minhas transições. Agora, contudo, quero fazer a mim mesmo a indagação final, sentado diante desse fogo acinzentado, com seus promontórios nus de carvão negro: qual dessas pessoas sou eu? Dependo sempre do ambiente. Quando digo a mim mesmo: "Bernard" – quem aparece? Um homem fiel, sardônico, desiludido, embora não amargo. Um homem sem idade ou posição social. Eu, apenas. Agora, é ele quem pega o atiçador e remexe as cinzas de modo a caírem como chuva através das grades. "Deus", diz a si mesmo, observando as cinzas caindo, "que sujeira!" Depois, acrescenta, lúgubre, mas com algum consolo: "A

sra. Moffat virá limpar tudo". Imagino-me repetindo essa frase muitas vezes a mim mesmo, enquanto sigo a matraquear e a fazer estrépito pela estrada da vida, batendo ora de um ora do outro lado da carruagem. "Ah, sim, a sra. Moffat virá limpar tudo." E agora, para a cama.
– Num mundo que contém em si o momento presente – disse Neville – por que fazer discriminações? Nada deveria ser nomeado, a não ser que, agindo assim, estejamos transformando alguma coisa. Deixemos que exista este banco, esta beleza e eu, por um instante, embebido em prazer. Arde o sol. Vejo o rio. Vejo árvores manchadas e crestadas pelo sol do outono. Barcos flutuam no verde, no vermelho. Longe, tange-se um sino, mas não é pelos mortos. Há sinos que ressoam por causa da vida. Uma folha cai de alegria. Ah, amo a vida! Vejam como o salgueiro lança para o ar seus finos ramos! Vejam como um barco passa por entre eles, repleto de rapazes indolentes, inconscientes, vigorosos. Ouvem um gramofone; comem frutas tiradas de sacos de papel. Jogando as cascas das bananas no rio, onde elas mergulham como enguias. Tudo o que fazem é belo. Habitam ambientes enfeitados com bibelôs e coisas de porcelana barata; remos e gravuras coloridas enchem seus quartos; eles, porém, transformam tudo em beleza. Um barco passa sob a ponte. Outro se aproxima. E mais outro. Aquele lá é Percival, recostado nas almofadas, monolítico em seu repouso de gigante. Não, não é ele; trata-se apenas de um dos seus satélites, que tenta imitar-lhe o repouso monolítico de gigante. Ele permanece inconsciente desses truques; quando os surpreende assim, dá-lhes um tapinha bem-humorado com sua pata. Também eles passaram sob uma ponte, através "dos ramos das árvores que caem como a água das fontes", varando seus tênues jorros de amarelo e cor de ameixa. A brisa se levanta; a cortina freme; por trás da folhagem vejo os edifícios graves, embora eternamente alegres, porosos, desprovidos de peso, imemorialmente colocados sobre a turfa antiga. Agora, começa a surdir dentro de mim o ritmo familiar; palavras que jaziam adormecidas agora se erguem,

agitam suas cristas, erguem-se e tombam, sem parar. Sou poeta. Certamente, sou um grande poeta. Barcos e jovens passando e árvores ao longe, e os ramos das árvores que caem como a água das fontes. Vejo tudo isto. Sinto tudo isto. Estou inspirado. Meus olhos enchem-se de lágrimas. Meu arrebatamento ferve. Espuma. Torna-se artificial, falso. Palavras, palavras e mais palavras galopando, agitando as longas crinas e caudas; por alguma falha minha, não consigo abandonar-me a seus dorsos, não consigo voar com elas por entre mulheres em fuga e suas sacolas derrubadas. Existe uma falha dentro de mim – uma hesitação fatal que, se a ultrapasso, se transforma em espuma e falsidade. É inacreditável, porém, que eu não seja um grande poeta. O que escrevi na noite passada não foi poesia? Escrevo com rapidez excessiva, demasiada facilidade? Não sei. Às vezes, não sei de mim mesmo nem como medir ou nomear ou somar os fragmentos que me fazem tal como sou.

– Algo agora está saindo de mim; algo sai de mim, ao encontro de uma imagem que se aproxima, e me assegura que a conheço antes de ver quem é. Como, curiosamente, mudamos, quando se nos adiciona um amigo, ainda que a distância. Como desempenham de maneira útil seu ofício nossos amigos ao se lembrarem de nós. Ainda assim, quão doloroso é ser lembrado, ser mitigado, ver-se adulterado, misturado, tornado parte de outrem. Quando ele se aproxima, não me torno eu mesmo, mas Neville misturado a alguém – quem? – Bernard? Sim, Bernard, é a Bernard que perguntarei: "Quem sou?".

– Que estranho parece o salgueiro quando o vemos juntos – disse Bernard. – Eu era Byron e a árvore era a árvore de Byron, lacrimosa, cascateante, cheia de lamentos. Agora que juntos contemplamos essa árvore, ela parece bem penteada, cada ramo separado do outro, e vou dizer-lhe o que sinto, sob a compulsão da claridade que emana de você.

– Sinto sua força, sinto que você me desaprova. Com você, torno-me um ser humano desordenado, impulsivo, cujo lenço colorido perpetuamente se mancha de gordura. Sim, tenho numa das mãos *Elegia* de Gray; com a outra, apanho a torrada do fundo, a que absorveu toda a manteiga derretida e que gruda no prato. Isso ofende você; percebo agudamente seu desgosto. Inspirado por ele, ansioso por recuperar sua aprovação, conto-lhe que acabo de empurrar Percival para fora da cama; descrevo os chinelos dele, sua mesa, sua vela derretida; o tom rude de sua queixa quando puxo os lençóis de cima de seus pés, e ele se enrola como num casulo. Descrevo tudo isso de tal maneira que, concentrado como está em alguma tristeza particular (pois há um vulto embuçado a presidir nosso encontro), você cede, ri, delicia-se comigo. Meu encanto e a fluência de minha linguagem, inesperada e espontânea, também a mim me deliciam. Fico atônito quando afasto o véu das coisas com palavras, e constato o quanto mais, infinitamente mais, observei do que consigo dizer. Enquanto falo, as imagens não cessam de borbulhar dentro de mim. É disso que preciso, digo a mim mesmo. Por que não consigo concluir a carta que estou escrevendo? Pois em meu quarto há sempre cartas interrompidas. Quando me acho com você, começo a perceber que sou um dos homens de maior talento que conheço. Estou pleno do encanto da juventude, cheio de vigor, prevendo o meu futuro. Desajeitado, mas com todo o fervor, vejo-me zumbindo em torno de flores de corola escarlate, fazendo com que as cavidades azuis ressoem ao ruído de meu voo. Como saborearei profusamente minha juventude (é você que me faz sentir isso), e Londres, e a liberdade. Mas, espere. Você não me ouve. Faz um protesto enquanto desliza a mão pelo joelho num gesto inexpressivamente familiar. É através desses sinais que diagnosticamos as doenças de nossos amigos. Você parece dizer: "Não se distancie de mim com sua fluência e sua plenitude. Pare. Pergunte pelo meu sofrimento".

– Então, deixe-me criar você. (Pois você acaba de fazer isso por mim.) Você está deitado neste banco quente, neste adorável dia de outubro que se desvanece, mas que ainda está claro, e observa os barcos flutuando um depois do outro

através dos ramos bem penteados do salgueiro. Quer ser poeta e quer ser amante. Contudo, a esplêndida luz de sua inteligência e a honestidade implacável de seu intelecto (devo-lhe estas palavras latinas; estas qualidades fazem com que me sinta um tanto inseguro e veja os remendos desbotados e as partes rotas de meus próprios recursos mentais) levam você a parar no meio do caminho. Você não tem indulgência para com nenhuma mistificação. Não se deixa envolver pela neblina das nuvens rosadas ou de ouro.
– Estou certo? Interpretei corretamente o pequeno gesto de sua mão esquerda? Se for assim, dê-me seus poemas; passe-me as folhas escritas na noite passada com tamanho fervor, com tanta inspiração, sua ou minha. Voltemos juntos pela ponte sob os olmos, ao meu quarto, onde, protegidos pelas paredes, as cortinas de sarja vermelha baixadas, poderemos afastar as vozes que nos distraem, os aromas e o sabor das tílias, e as vidas alheias; as jovens atrevidas fazendo compras com seus passinhos desdenhosos; as anciãs que se arrastam carregando embrulhos pesados; as furtivas visões de algum vulto vago que some – talvez Jinny, talvez Susan, ou Rhoda, desaparecendo na alameda? Por algum leve frêmito, mais uma vez adivinho suas emoções; escapo de você; afasto-me como um enxame de abelhas a vaguear interminavelmente, desprovido deste seu poder de se fixar de forma implacável num único objeto. Mas voltarei.
– Diante de edifícios como esses – disse Neville –, não suporto mocinhas fazendo compras. Seus risos, seus mexericos me insultam; irrompem em meio à minha serenidade, perturbam meus momentos de pura exaltação, vêm lembrar-me como somos degradados.
– Mas, agora, depois de passar entre as bicicletas e o aroma das tílias e os vultos evanescentes na rua distraída, recuperamos nosso território. Aqui, somos senhores da ordem e da tranquilidade; herdeiros de uma tradição altiva. As luzes começam a abrir fendas amarelas na praça. A neblina que sobe do rio enche esses lugares antigos, agarra-se docemente à pedra veneranda. As folhas adensam-se nas

alamedas do campo, os carneiros tossem nas pastagens úmidas; mas aqui em seu quarto estamos bem abrigados. Falamos a sós. Move-se o fogo, canta, faz brilhar a maçaneta da porta.

– Você leu Byron. Sublinhou trechos que combinam com sua personalidade. Encontro marcas em todas as frases que parecem exprimir uma natureza irônica mas apaixonada, a impetuosidade de uma mariposa que não se cansa de bater contra a vidraça rija. Quando você passou o lápis aqui, pensou: *Também eu tiro dessa maneira a minha capa. Também eu estalo os dedos na cara do destino*. Contudo, Byron nunca preparou chá do mesmo modo que você, enchendo tanto o bule que, quando coloca a tampa, o chá transborda. Olhe a poça marrom na mesa – escorre entre seus livros e papéis. Agora, você a enxuga desajeitadamente com o lenço. Depois, enfia o lenço novamente no bolso – isto não é Byron, isto é você; isto é tão essencialmente você que, se eu pensar em você dentro de vinte anos, quando formos famosos, reumáticos e insuportáveis, será nesta cena; se você estiver morto, chorarei. Você já foi discípulo de Tolstói; agora, é discípulo de Byron; talvez um dia venha a sê-lo de Meredith; depois, visitará Paris, nas férias da Páscoa, e regressará usando uma gravata preta, como um detestável francês de quem ninguém nunca ouviu falar. Então, eu o abandonarei.

– Sou apenas uma pessoa – eu mesmo. Não personifico Catulo, a quem adoro. Sou o mais escravo dos estudantes, munido de um dicionário, de um caderno em que anoto os modos mais curiosos de empregar o particípio passado. Mas não se pode passar a vida a raspar com um canivete essas velhas inscrições. Deverei sempre baixar a cortina de sarja vermelha e ver meu livro como um bloco de mármore pálido sob a lâmpada? Seria uma vida gloriosa devotar-me à perfeição; seguir a curva da frase para onde quer que ela levasse, para desertos, ao longo de colinas de areia, sem me importar com miragens ou seduções; ser sempre pobre e mal-arrumado: ser ridículo em pleno Piccadilly.

– Mas estou nervoso demais para concluir adequadamente minha frase. Falo depressa, andando para lá e para cá, procurando dominar minha agitação. Odeio estes seus lenços cheios de gordura – você vai manchar seu exemplar do *Don Juan*. Você não está me ouvindo. Faz frases sobre Byron. E enquanto gesticula, com sua capa, sua bengala, tento expor um segredo que ainda não foi contado a ninguém; estou pedindo (parado, de costas para você) que tome minha vida em suas mãos e me diga se estou condenado a sempre causar repulsa naqueles que amo.

– Estou de costas para você, estou inquieto. Não, minhas mãos estão absolutamente serenas. Abro espaço na prateleira e coloco com precisão o *Don Juan*; pronto. Preferiria ser amado, preferiria ser famoso a perseguir a perfeição através das areias. Mas estarei condenado a provocar desgosto? Serei um poeta? Presumamos que sim. O desejo acumulado por trás de meus lábios, frio como chumbo, caiu como uma bala: a coisa que imito nas mocinhas fazendo compras, nas mulheres, a pretensão, a vulgaridade da vida (pois amo tudo isso) atinge você quando lanço – apanhe-o! – meu poema.

– Ele disparou do quarto como uma flecha – disse Bernard. – Deixou-me um poema. Ah, amizade, também comprimirei flores entre as páginas dos sonetos de Shakespeare! Ah, amizade, como são agudos teus dardos – ali, ali, mais uma vez ali. Ele me olhou, voltou-se para me fitar; e deu-me seu poema. Todos os nevoeiros erguem-se em espirais do telhado do meu ser. Guardarei esse segredo até o dia da minha morte. Como uma comprida onda, um rolo de águas pesadas, ele passou sobre mim sua presença devastadora abrindo-me ao meio, expondo os pedregulhos da praia de minha alma. Foi humilhante; transformei-me em cascalho. Todas as minhas semelhanças foram aniquiladas. "Você não é Byron; você é você mesmo." Ser contraído num único ser por outra pessoa – que coisa estranha.

– Como é estranho sentir a linha tecida partindo de nós, alongando seus finos filamentos através dos espaços enevoados do mundo que se interpõe. Ele se foi; fico aqui, parado, segurando seu poema: entre nós, este fio. Agora, porém, como é confortável, como tranquiliza, sentir que se afastou a presença alheia, o sombrio, embuçado escrutinador! Como gratifica abrir as cortinas e não admitir nenhuma outra presença; sentir que, dos recantos escuros em que se refugiaram, voltam aqueles habitantes pálidos, familiares, que ele, com sua força maior, obrigou a se esconderem. Os espíritos irônicos e observadores que, mesmo na crise e na punhalada do momento, contemplavam minha postura agora regressam à casa. Somando-me a eles, sou Bernard, sou Byron, sou isto e aquilo. Eles enchem o ar e me enriquecem, antigos, com seus trejeitos, seus comentários; anuviam a sutil simplicidade do momento de minha emoção. Pois possuo mais "eus" do que Neville pensa. Não somos simples como nossos amigos gostariam que fôssemos para irmos ao encontro de suas necessidades. Ainda assim, porém, o amor é simples.

– Agora, voltaram meus habitantes, meus familiares. Agora, a estocada, a fissura nas minhas defesas, que Neville abriu com sua espada espantosamente fina, foram reparadas. Estou quase inteiro outra vez; vejam como rejubilo, trazendo à cena tudo aquilo que Neville ignora em mim. Olhando pela janela, abrindo as cortinas, sinto: "Isso, que não lhe daria prazer, me alegra". (Usamos nossos amigos para medirmos nossa própria estatura.) Meu espaço abrange aquilo que Neville jamais alcançará. Na estrada, gritam canções de caça. Celebram alguma corrida com os cães. Os meninos de barrete, que sempre se viravam ao mesmo tempo quando a carruagem dobrava a esquina, dão palmadinhas uns nos ombros dos outros, contando vantagem. Mas Neville, delicadamente evitando interferências, volta depressa ao seu quarto, furtivo como um conspirador. Vejo-o cair em sua poltrona baixa, olhando fixamente o fogo, que, por um momento, assume solidez arquitetônica. Se a vida pudesse ter essa permanência, pensa, se a vida pudesse ter essa ordem – pois acima de tudo ele deseja ordem, e detesta meu desmazelo byroniano; e assim, puxa sua cortina, tranca sua porta. Seus olhos (pois está apaixonado; a sinistra figura do amor presidia nosso encontro) enchem-se de nostalgia, enchem-se de lágrimas. Ele maneja o atiçador e num golpe destrói a momentânea aparência de solidez dos carvões esbraseados. Tudo se transmuda. A juventude, o amor. O barco flutuou por entre o arco dos salgueiros e agora está debaixo da ponte. Percival, Tony, Archie ou algum outro irão para a Índia. Não nos encontraremos mais. Depois, Neville estende a mão para seu caderno – um belo volume encadernado em papel jaspeado – e escreve febrilmente longos versos, à maneira daquele a quem no momento mais admira.

– Mas quero ficar ocioso; debruçar-me à janela; escutar. Lá vem de novo o coro jovial. Agora, estão quebrando louça – trata-se de algo também já convencionado. Como uma torrente saltando pedras, brutalmente arrostando velhas árvores, jorra o coro com esplêndido abandono sobre precipícios. Rolam adiante: galopam; atrás de cães, atrás de bolas de futebol; pulam para cima e para baixo; agarrados, a negamos como sacos de farinha. Todas as divisões estão amalgamadas – agem como um só homem. O tempestuoso vento de outubro sopra o vozerio pelo pátio em golpes alternados de som e silêncio. Agora, estão novamente quebrando louça: assim foi convencionado. Uma mulher velha e insegura, carregando uma mala, trota para casa sob as janelas incandescentes. Tem receio de que caiam sobre ela e a empurrem para a sarjeta. Contudo, para, como se quisesse aquecer as mãos nodosas, reumáticas, no fogo que fulgura em torrentes de fagulhas e pedaços de papel esvoaçantes. A velha para mais uma vez, junto da janela acesa. Contraste que vejo e Neville não vê; que sinto e Neville não sente. Mas ele alcançará a perfeição, eu fracassarei e não deixarei nada atrás de mim senão frases imperfeitas, cobertas de areia.

– Agora, penso em Louis. Que luz maligna, e ainda assim perquiridora, Louis lançaria sobre esta noite de outono que fenece, sobre este quebrar de lanças e o vigor destas canções,

sobre Neville e Byron e nossa vida aqui? Seus lábios finos estão um tanto repuxados; suas faces, pálidas; lê atentamente algum obscuro documento comercial num escritório. "Meu pai é banqueiro em Brisbane" – envergonhado, frustrado, fala sempre nele. Assim fica sentado em seu escritório, Louis, o melhor aluno do colégio. Contudo, procurando contrastes, muitas vezes sinto o olhar dele sobre nós, o olhar risonho, selvagem, adicionando-nos como parcelas insignificantes numa grande soma que ele calcula eternamente em seu escritório. E um dia, tomando de uma pena fina, molhando-a em tinta vermelha, a soma estará completa; nosso total será conhecido. Será insuficiente, porém.
 – Bang! Jogaram uma cadeira contra a parede. Que o diabo os carregue. Meu caso também é duvidoso. Não estarei me entregando com complacência a emoções imperdoáveis? Sim, debruçando-me à janela, jogando fora meu cigarro de modo que rodopie levemente até o chão, sinto Louis observar até mesmo meu cigarro. E Louis diz: "Isso significa alguma coisa. Mas, o quê?".
 – Há sempre gente passando – disse Louis. – Passam incessantemente pela vitrine do restaurante. Motocicletas, furgões, ônibus; novamente ônibus, furgões, motocicletas passam pela vitrine. Percebo ao fundo lojas e casas; também as flechas cinzentas de uma igreja da cidade. À frente, em primeiro plano, estão as prateleiras de vidro com pratos de doces e sanduíches de presunto. Tudo está um tanto obscurecido pelo vapor de um bule de chá. Um odor substancial e insosso de carne de boi e carneiro, de salsichas e guisado baixa como uma rede úmida no meio do restaurante. Encosto meu livro num frasco de molho Worcester e tento me parecer com os outros.
 – Não consigo. (Eles passam e passam, numa procissão desordenada.) Não consigo ler meu livro nem encomendar minha carne com convicção. Repito: "Sou um inglês comum; sou um funcionário de escritório comum", mas olho os homens humildes na mesa ao lado para ter certeza de estar

agindo como eles. Rostos flexíveis, com peles enrugadas sempre remexendo-se de acordo com a multiplicidade de suas sensações, agarram coisas como macacos, submissos a esse momento particular, discutem, com todos os gestos adequados, a venda de um piano de armário. Este bloqueia a entrada, de modo que o homem aceitaria mesmo uma nota de dez libras. As pessoas continuam passando; passam diante das flechas da igreja e dos pratos de sanduíches de presunto. O curso da minha consciência vacila e é perpetuamente rompido e confundido pela sua desordem. Por isso, não posso me concentrar em meu jantar. "Eu aceitaria uma nota de dez. O armário é bonito, mas bloqueia a entrada." Eles mergulham e especulam como aves aquáticas com penas escorregadias de óleo. Todo excesso além dessa norma de conduta é futilidade. Este é o meio- -termo, a média. Entrementes, os chapéus se inclinam e se erguem; a porta abre e fecha perpetuamente. Tenho consciência do fluxo, da desordem; da aniquilação e do desespero. Se isso for tudo, não vale nada. Mas, também, sinto o ritmo do restaurante. É como o som de uma valsa, turbilhonando, a girar, girar. As garçonetes, balançando bandejas, giram e regiram, entregando pratos de salada, abricós e pudins, entregando-os na hora certa ao freguês certo. Os homens comuns, inserindo o ritmo dessa vida no seu próprio ritmo ("Eu aceitaria uma nota de dez libras, pois ele bloqueia a entrada"), pegam suas saladas, pegam seus abricós e pudins. Onde está a fratura nessa continuidade? Qual a fissura pela qual vemos a desgraça? O círculo está fechado; a harmonia, completa. Aqui, está o ritmo central; aqui, a mola principal. Observo como se expande, como se contrai; depois, expande-se novamente. Mas estou excluído. Se falo, imitando o sotaque deles, aguçam os ouvidos, esperando que eu fale outra vez para poderem me situar – se venho do Canadá ou da Austrália, eu, que acima de tudo desejo ser tomado nos braços com amor, sou estrangeiro, de fora. Eu, que desejo sentir sobre mim, próximas, as protetoras ondas da vida comum, olho com o rabo do olho algum horizonte longínquo; tenho consciência de chapéus que se inclinam e se erguem em perpétua desordem. A mim se dirige o lamento do espírito errante e angustiado (uma mulher com dentes podres hesita no balcão): "Leve-nos de volta ao aprisco, nós, que passamos tão dispersas, nos inclinando e nos erguendo ao longo de vitrines com pratos de sanduíches de presunto em primeiro plano". Sim, vou trazê-las à ordem.

– Lerei no livro apoiado no frasco de molho Worcester. Ele contém alguns volteios bem forjados, algumas afirmações perfeitas, umas poucas palavras, mas poesia. Vocês, todos vocês, a ignoram. Esqueceram-se do que disse o poeta morto. Não posso traduzi-la de modo que seu poder persuasivo os prenda e lhes mostre claramente como são indecisos; como seu ritmo é vulgar, não valendo nada; e assim remova essa degradação que pervade vocês, quando inconscientes de sua própria incerteza, tornando-os senis em plena juventude. Meu empenho será traduzir o poema de modo que seja lido facilmente. Eu, companheiro de Platão, de Virgílio, baterei na porta de carvalho. Oponho ao que passa esse soquete de aço batido. Não me submeterei a esse inútil desfile de chapéus-coco e chapéus de feltro e de todos os variados e emplumados adornos de cabeças femininas. (Susan, a quem respeito, usaria um simples chapéu de palha num dia de verão.) E o pó e o vapor que escorre em gotas desiguais pela vidraça; e as bruscas paradas e partidas dos ônibus; e as hesitações nos balcões; e as palavras que vagueiam lugubremente sem significado humano; e as trarei à ordem.

– Minhas raízes descem por veias de chumbo e prata, por lugares úmidos e podres que exalam miasmas, até um nó central feito de raízes de carvalho. Cego e fechado, com os ouvidos tapados por terra, ainda assim escutei rumores de guerras; e o rouxinol; senti a correria de muitas tropas reunindo-se aqui e ali em busca da civilização, como bandos de pássaros migradores à procura do verão; vi mulheres carregando cântaros vermelhos junto ao Nilo. Acordei em um jardim com um toque na nuca, um beijo ardente, o de

Jinny; lembro-me de tudo isso como se lembram chamados confusos e pilares derrubados e feixes de luzes vermelhas e negras em alguma conflagração noturna. Estou dormindo e despertando eternamente. Agora, durmo; logo, desperto. Vejo o samovar reluzir; as prateleiras de vidro cheias de sanduíches de um amarelo pálido; os homens com casacos redondos aboletados em banquetas no balcão; e, também, atrás deles, a eternidade. É um estigma marcado com um ferro em brasa na minha carne fremente por um homem embuçado. Vejo esse restaurante contra asas de pássaros do passado, unidas e esvoaçantes, muitas emplumadas, dobradas. Por isso meus lábios repuxados, minha palidez doentia; meu aspecto repugnante e desagradável quando, com ódio e amargor, volto meu rosto para Bernard e Neville, que passeiam debaixo de teixos; que herdam poltronas; e cerram suas cortinas, de modo que a luz da lâmpada caia sobre seus livros.

– Respeito Susan, porque ela fica sentada, bordando. Cose debaixo de uma lâmpada tranquila, em uma casa onde o trigo suspira perto da janela, e me dá segurança. Pois sou o mais fraco e mais jovem de todos eles. Sou uma criança olhando a seus pés as pequenas estrias de água que a chuva deixou no chão. Digo: "Isto é um caracol; isto é uma folha". Encanto-me com os caracóis; encanto-me com a folha. Sou sempre o mais novo, o mais inocente, o mais confiante. Todos vocês estão protegidos. Eu estou nu. Enquanto a garçonete com uma coroa de tranças na cabeça passa oscilando, entrega-lhes abricós e pudins, sem hesitar, como uma irmã. Vocês são irmãos dela.

– Mas quando me levanto, limpando com a mão as migalhas do meu colete, enfio uma gorjeta excessiva, um xelim, debaixo do meu prato, de modo que ela talvez só o encontre quando eu tiver partido, e sua zombaria ao pegá-la entre risadas talvez não me atinja antes de eu ter passado pela porta giratória.

***

– Agora, o vento ergue as persianas – disse Susan. – Jarras, vasos, esteiras e a poltrona com um buraco tornam-se nítidos. As listras desbotadas de sempre riscam o papel de parede. O coro dos pássaros silenciou, agora apenas um pássaro canta junto à janela do quarto. Vou colocar minhas meias e passar discretamente pelas portas dos quartos, e descer à cozinha, sair para o jardim, passar pela estufa e ir até o campo. Ainda é bastante cedo. O nevoeiro paira sobre os charcos. O dia está hirto e rígido como uma mortalha de linho. Mas vai abrandar; esquentar. A essa hora, tão cedo, penso que sou o campo, que sou o celeiro, que sou as árvores; são meus os bandos de pássaros e esta lebre nova que salta no último instante, quando quase piso nela. Meus são a garça que estende preguiçosamente suas grandes pernas; a vaca que muge ao empurrar uma pata para a frente da outra, mascando; a andorinha intrépida que despenca do céu; o leve rubor do céu, e o verde em que esse rubor se desvanece; o silêncio e o sino; o grito do homem que traz do campo os cavalos e a carreta – tudo é meu.

– Não posso ser dividida ou apartada. Mandaram-me para a escola; enviaram-me à Suíça para concluir meus estudos. Odeio linóleo; odeio pinheiros e montanhas. Deixem que agora eu me jogue nesse chão plano, debaixo de um céu pálido onde as nuvens andam lentas. A carreta vai aumentando à medida que vem pela estrada. Os carneiros juntam-se no meio do campo. As aves juntam-se no meio da estrada – ainda não precisam voar. Ergue-se fumaça da madeira queimada. A rigidez da madrugada diminui. O dia se põe em movimento. A cor retoma. O dia ondula amarelo em todos os trigais. A terra pesa debaixo de mim.

– Mas quem sou eu, recostada neste portão a observar meu *setter* que fareja em torno? Às vezes, penso (ainda não tenho 20 anos) que não sou uma mulher, mas a luz que cai neste portão, neste solo. Sou as estações, penso às vezes, janeiro, maio, novembro, a lama, a neblina, a madrugada. Não posso me agitar nem esvoaçar docemente, nem me misturar com outras pessoas. Mas agora, recostada neste portão até o ferro deixar marcas nos meus braços, sinto o peso que se formou dentro de mim. Algo foi-se formando na escola, na Suíça, algo duro. Nem suspiros nem risos; nem volteios nem frases engenhosas; nem as estranhas comunicações de Rhoda, quando olha além de nós, sobre nossos ombros; nem as piruetas de Jinny, membros e corpo uma coisa só. O que sou é peso. Não posso esvoaçar docemente, misturando-me com outras pessoas. Prefiro o olhar fixo dos pastores na estrada; o olhar da cigana ao lado de uma carroça na valeta, amamentando os filhos como amamentarei os meus. Pois logo, ao ardente meio-dia, quando as abelhas zumbirem em torno das malvas-rosa, meu amado virá. Estará sob o cedro. A uma única palavra sua responderei com minha única palavra. Darei a ele o que se formou dentro de mim. Terei filhos, terei criadas de avental, empregados com forcado, uma cozinha para onde trazem os cordeirinhos novos a fim de se aquecerem em cestos, onde pendem presuntos e as cebolas rebrilham. Serei como minha mãe, silenciosa, de avental azul, passando a chave nos armários.

– Agora, tenho fome. Chamarei meu *setter*. Penso em bolos e pão e manteiga e alvos pratos em um aposento ensolarado. Voltarei pelos campos. Caminharei por essa trilha de relva com passos firmes, iguais, ora desviando-me de uma poça de lama, ora saltando leve por um montículo. Gotas de umidade formam-se em minha saia de tecido áspero; meus sapatos ficam ensopados e escuros. A rigidez do dia se desfez; está sombreado de cinza, verde e ferrugem. Os pássaros já não pousam na estrada.

– Volto, como um gato ou uma raposa volta, o pelo cinza de geada, as patas endurecidas pela lama espessa. Passo entre os repolhos, fazendo suas folhas ranger e as gotas tombar. Sento-me, aguardando os passos de meu pai, enquanto ele anda arrastado pela vereda, beliscando alguma erva entre os dedos. Encho xícara após xícara, enquanto as flores fechadas se mantêm eretas sobre a mesa entre potes de geleia, fatias de pão e manteiga. Ficamos calados.

– Depois, vou até o armário e apanho os úmidos sacos de ricas passas de uva; coloco a pesada farinha na mesa da cozinha, escovada e limpa. Amasso; estendo; empurro, metendo as mãos nas mornas entranhas da massa. Deixo a água fria correr em leque entre meus dedos. O fogo chia; as moscas zumbem em círculos. Minhas passas-de-Corinto e meu arroz, e os sacos prateados e azuis estão novamente trancados no armário. A carne está no forno; o pão alteia-se em uma cúpula suave debaixo da toalha limpa. À tarde, passeio até o rio. O mundo inteiro está germinando. As moscas voam de planta em planta. As flores estão inchadas de pólen. Os cisnes sobem ordenadamente o rio. As nuvens, agora cálidas, manchadas de sol, deslizam sobre as colinas, depondo ouro nas águas, ouro no pescoço dos cisnes. Empurrando um pé diante do outro, as vacas abrem seu caminho pelo campo, mascando. Apalpo a relva, procurando os cogumelos de copas brancas; quebro seu caule e apanho a orquídea roxa que cresce ao lado, e a coloco junto do cogumelo, com terra na raiz, e volto para casa a fim de ferver a água do bule para meu pai, entre as rosas que acabam de se avermelhar sobre a mesa de chá.

– Mas a noite baixa e acendem-se as lâmpadas. E, quando a noite baixa e acendem-se as lâmpadas, estas projetam na hera um reflexo amarelo. Sento-me junto à mesa com minha costura. Penso em Jinny; em Rhoda; ouço o matraquear de rodas no calçamento, quando os cavalos da fazenda voltam para casa; ouço tráfego bramindo no vento noturno. Olho as folhas trêmulas no jardim escuro e penso: "Estão dançando em Londres. Jinny beija Louis".

– Que estranho que as pessoas durmam – disse Jinny –, que as pessoas apaguem as luzes e subam as escadas. Tiraram suas roupas, colocaram camisolas brancas. Não há luzes em nenhuma dessas casas. Há uma linha de chaminés contra o céu; e um lampião de rua ou dois, acesos como lâmpadas que ardem quando ninguém precisa delas. As únicas pessoas na rua são os pobres, andando apressados. Ninguém vai nem vem nesta rua; o dia terminou. Alguns

policiais estão postados nas esquinas. No entanto, a noite ainda está começando. Sinto-me reluzir na treva. Há sedas no meu joelho. Minhas pernas de seda esfregam-se docemente uma na outra. As pedras de um colar jazem frias na minha garganta. Meus pés sentem o aperto dos sapatos. Sento-me ereta para que meu cabelo não toque o encosto da cadeira. Estou vestida, estou preparada. Esta é a pausa de um momento; o momento sombrio. Os violinistas ergueram seus arcos.
 – Agora, o carro desliza até estacionar. Uma faixa do calçamento se ilumina. A porta abre e fecha. Pessoas chegam; não falam; entram precipitadamente. Há o som farfalhante de capas caindo no vestíbulo. Este é o prelúdio, este é o começo. Olho, espio, passo pó de arroz. Tudo exato, preparado. Meu cabelo tem a curva de que precisava. Meus lábios têm o exato tom de vermelho. Estou pronta a me juntar a homens e mulheres na escada, meus pares. Passo por eles, exposta ao seu olhar, assim como estão expostos ao meu. Olhamos como relâmpagos, mas não nos abrandamos nem damos demonstrações de reconhecimento. Nossos corpos se comunicam. Este é o meu chamado. Este é o meu mundo. Tudo está pronto e decidido; os criados, postados aqui e ali, recebem meu nome, meu nome recente e desconhecido, e lançam-no adiante de mim. Entro.
 – Há cadeiras douradas nos aposentos vazios e expectantes, flores, mais silenciosas, mais imponentes, depois flores que crescem, espalhando verde, espalhando branco diante das paredes. E em uma mesa pequena há um livro encadernado. Foi isto que sonhei; foi isto que previ. Este é o meu lugar. Passo com naturalidade sobre grossos tapetes. Deslizo com facilidade sobre assoalhos suaves e polidos; começo, nesse aroma, nessa luminosidade, a me desenrolar, como uma samambaia ao desdobrar suas folhas. Paro. Avalio o mundo. Olho grupos de pessoas desconhecidas. Entre resplandecentes mulheres verdes, rosa, cinza-pérola, distinguem-se os corpos eretos dos homens. São brancos e negros; estão encaixados em suas roupas com profundas

ranhuras. Sinto novamente o reflexo na janela do túnel; ele se move. As figuras brancas e negras dos homens desconhecidos me fitam quando me inclino para a frente; quando me viro para o lado a fim de olhar o quadro, eles também se viram. Suas mãos agitadas sobem até as gravatas. Tocam seus coletes, seus lenços de bolso. São muito jovens. Estão ansiosos por causar boa impressão. Sinto mil capacidades brotarem em mim. Ora sou brejeira, alegre, lânguida, ora melancólica. Tenho raízes, mas sou fluida. Toda dourada, fluindo, digo a um: "Venha". Em ondulações negras, digo a outro: "Não". Um deles sai de seu lugar debaixo do armário de vidro. Aproxima-se. Vem em minha direção. Este é o momento mais excitante que jamais vivi. Adejo. Ondulo. Flutuo como planta no rio, deslizando para um lado, para outro, mas enraizada, de modo que ele possa aproximar-se de mim. "Venha", digo, "venha." Pálido, cabelos escuros, o que se aproxima é melancólico, romântico. Sou brejeira e fluida e caprichosa, pois ele é melancólico, romântico. Está aqui, a meu lado.

— Com um pequeno movimento, como marisco solto de uma rocha, também me solto; caio com ele; sou arrebatada. Entregamo-nos a essa lenta correnteza. Entramos e saímos dessa música hesitante. Rochedos interrompem a torrente da dança; ela vibra, treme. Somos agora carregados para dentro e para fora dessa grande figura; ela nos mantém unidos; não podemos dar um passo para fora de suas paredes sinuosas, hesitantes, abruptas, num círculo perfeito. Nossos corpos, fluido o meu, rígido o dele, são pressionados um contra o outro, dentro do corpo dessa figura; ela nos mantém unidos; depois, espraiando-se em dobras macias e sinuosas, vai-nos enrolando dentro de si, mais e mais. Subitamente, a música se interrompe. Meu sangue corre, mas meu corpo para. O aposento oscila a meus olhos. Imobiliza-se.

— Venha, vamos rodopiar até as cadeiras douradas. O corpo é mais forte do que eu pensava. Estou mais tonta do que supunha. Não me importo com nada neste mundo. Não me importo com ninguém, exceto este homem cujo nome não sei. Lua, não somos agradáveis? Não somos adoráveis sentados aqui juntos, eu com meu cetim, ele de branco e negro? Agora meus fidalgos podem olhar para mim. Devolvo firmemente vosso olhar, homens e mulheres. Sou uma de vós. Este é o meu mundo. Pego este cálice de caule fino e bebo. O vinho tem um sabor drástico e adstringente. Não posso evitar um tremor quando bebo. Aroma e flores, brilho e calor são aqui destilados em um líquido amarelo e abrasador. Bem atrás de minhas omoplatas, alguma coisa seca, com grandes olhos, cerra-se docemente, aos poucos embala-se para dormir. Isto é êxtase; isto é alívio. O nó na minha garganta vai diminuindo. Palavras juntam-se, grudam-se, atropelam-se umas por cima das outras. Não importa quais sejam. Empurram-se e trepam umas nos ombros das outras. As isoladas, as solitárias acasalam-se, cambaleiam, multiplicam-se. Não importa o que digo. Como um pássaro a esvoaçar, uma frase cruza o espaço vazio entre nós. Pousa nos lábios dele. Encho novamente meu cálice. Bebi. Caem os véus que nos separam. Sou admitida no calor e na intimidade de outra alma. Estamos juntos, bem no alto, em algum passo dos Alpes. Ele se posta melancolicamente no cimo da estrada. Abaixo-me. Apanho uma flor azul e, parada na ponta dos pés para alcançá-la, prendo-a em seu casaco. Aí está! Este é o meu momento de êxtase. Agora, passou.

– Somos invadidos pelo desânimo e pela indiferença. Outras pessoas passam. Perdemos a consciência dos nossos corpos unidos debaixo da mesa. Também gosto de homens louros de olhos azuis. A porta se abre. A porta continua a se abrir. Da próxima vez em que abrir, penso, toda a minha vida vai mudar. Quem chega? Mas é apenas uma criada que traz cálices. Ali há um ancião – devo ser uma criança para ele. Ali, uma grande dama – diante dela, eu seria ignorada. Há moças da minha idade pelas quais sinto desembainhadas as espadas de uma venerável hostilidade. Pois estes são meus fidalgos. Sou nativa deste mundo. Aqui está meu risco, aqui está minha aventura. A porta se abre. "Oh, venha", digo a este homem, com ondulações douradas da cabeça aos pés. "Venha." E ele vem em minha direção.

— Vou insinuar-me por trás deles — disse Rhoda —, como se tivesse visto alguém que conheço. Mas não conheço ninguém. Vou entreabrir a cortina e olhar a Lua. Poções de esquecimento aplacam minha agitação. A porta abre-se; o tigre salta. A porta abre-se; o terror entra; terror e mais terror, perseguindo-me. Quero visitar furtivamente os tesouros que separei. Há tanques de água do outro lado do mundo, refletindo colunas de mármore. A andorinha mergulha sua asa em águas escuras. Mas aqui a porta se abre e pessoas entram; vêm em minha direção. Agarram-me com frágeis sorrisos que mascaram sua crueldade, sua indiferença. A andorinha molha suas asas; solitária, a Lua percorre mares azuis. Tenho de pegar a mão dele; preciso responder. Mas que resposta dar? Impelida para trás, posto-me esbraseada neste corpo desajeitado e enfermiço, para receber os golpes da indiferença e do escárnio dele, eu que anseio por colunas de mármore e tanques de água do outro lado do mundo, onde a andorinha molha suas asas.

— A noite rolou mais um pouco por sobre as chaminés. Pela janela, sobre o ombro dele, vejo um gato desenvolto, não mergulhado na luz, não envolvido em sedas, livre para parar, esticar o corpo, mover-se novamente. Odeio todos os detalhes da vida individual. Mas aqui sou obrigada a escutar. Um enorme peso me oprime. Não posso mover-me sem desalojar o peso de séculos. Um milhão de flechas me trespassam. Escárnio e ridículo me atingem. Eu, que poderia expor meu peito à tempestade e alegremente deixar o granizo me sufocar, estou transfixada neste lugar; estou exposta. O tigre salta. Línguas me chicoteiam. Movediças, incessantes, adejam sobre mim. Preciso tergiversar e afastá-las com mentiras. Que amuleto existe contra essa desgraça? Que face posso evocar, fonte de frescor nesta fornalha? Penso em nomes lidos nas etiquetas das malas; mães por cujos joelhos alvos descem saias; clareiras para onde descem colinas escarpadas. Escondam-me, grito, protejam-me, pois sou a mais jovem, a mais nua de todos. Jinny se desenvolve como uma gaivota sobre a onda, dirigindo habilmente seus olhares para cá e para lá dizendo isto, dizendo aquilo, com sinceridade. Mas eu, eu minto; eu tergiverso.

– Sozinha, balanço minhas bacias; sou senhora de minha frota. Aqui, porém, a torcer as borlas da cortina de brocado da janela de minha anfitriã, sinto-me esquartejada; já não sou uma. Qual será o conhecimento que Jinny tem enquanto dança; a certeza que Susan tem enquanto, calmamente, à luz da lâmpada, passa a linha branca pelo fundo da agulha? Elas dizem: "Sim"; elas dizem: "Não"; baixam seus punhos, golpeando a mesa. Eu, porém, duvido; tremo; vejo o espinheiro selvagem sacudir sua sombra no deserto.

– Agora, caminharei como se tivesse um fim em vista, atravessarei o quarto, até a sacada coberta pelo toldo. Vejo o céu, suavemente adornado pelo súbito fulgor da Lua. Também vejo as amuradas da praça, e duas pessoas sem rostos, recostadas como estátuas contra o céu. Existe então um mundo imune às transformações. Quando eu tiver passado por essa sala com línguas que adejam, cortando-me como facas, fazendo-me gaguejar, fazendo-me mentir, encontrarei rostos sem feições, a que roubaram a beleza. Os amantes agacham-se sob o plátano. O policial está de sentinela na esquina. Um homem passa. Existe então um mundo imune às transformações. Todavia, parada na ponta dos pés à beira do fogo, ainda chamuscada pelo sopro ardente, com medo da porta que se abre e do salto do tigre, não estou suficientemente serena para poder formar uma só frase. O que digo é perpetuamente contestado. A cada vez que a porta se abre, sou interrompida. Ainda não tenho 21 anos. Serei aniquilada. Vão rir de mim por toda a minha vida. Como uma rolha em mar revolto, serei jogada para cima e para baixo, entre esses homens e mulheres com rostos repuxados, línguas mentirosas. A cada vez que a porta se abre, adejo longe, como um talo de erva. Sou a espuma que varre e enche de brancura as fendas mais remotas das rochas; sou também uma jovem, aqui nesta sala.

***

O Sol, alto, não mais recostado no colchão verde, a lançar raios vacilantes, através de joias liquefeitas, expôs seu rosto e olhou direto por sobre as ondas. Elas caíam com um baque surdo e regular. Caíam com uma concussão de patas de cavalos sobre turfa. Seus respingos erguiam-se como o arremesso de lanças e azagaias sobre as cabeças dos cavaleiros. Varriam a praia com suas águas azul-aço salpicadas de diamantes. Entravam e saíam com a energia e a musculosidade de uma máquina que impulsiona sua força para dentro e para fora. O sol incidiu em trigais e florestas. Rios tornaram-se azuis e franzidos; relvados que descem até a beira da água ficaram verdes como penas de pássaros que eriçam docemente sua plumagem. Arqueadas e serenas, as colinas pareciam contidas por rédeas, como um membro amarrado em seus músculos; e os bosques, que altivos se encrespam em seus flancos, eram como a crina áspera e tosquiada do pescoço de um cavalo.

No jardim, onde as árvores se adensavam sobre canteiros de flores, poças de água e estufas, os pássaros cantavam, separadamente, ao cálido brilho do Sol. Um cantava debaixo da janela do quarto de dormir; outro, no raminho mais alto do arbusto de lilases; outro, na quina do muro. Cada um cantava com estridência, com paixão, com veemência, como a deixar o canto rebentar, não importando se fragmentasse o canto de outro pássaro numa áspera dissonância. Seus olhos redondos exorbitavam de tanta luz; suas patas seguravam os ramos ou as cercas. Cantavam expostos, desabrigados, ao ar e ao Sol, belos em sua plumagem nova, nacarada ou com manchas vivas, aqui com listras de suave azul, ali com nódoas de ouro, ou com a faixa de uma só pena clara. Cantavam como se o canto fosse instantemente solicitado pela manhã. Cantavam como se a franja do ser estivesse afiada e precisasse cortar, fender a suavidade da luz azul-esverdeada, a umidade da terra encharcada; os vapores e as fumaças das gordurosas exalações da cozinha; o bafo ardente de carne de carneiro e vaca; a riqueza das pastelarias e frutas; as cascas úmidas jogadas no lixo da cozinha, soltando um lento vapor no montículo escorregadio. E desciam abruptos, implacáveis, com seus bicos aguçados, sobre aquela coisa encharcada, manchada de umidade, retorcida. Voavam subitamente dos lilases ou da cerca. Bicavam um caracol e batiam a concha contra uma pedra. Batiam furiosamente, metodicamente, até a casca se partir e alguma coisa, limosa, escorregar da fenda. Ascendiam e planavam muito alto, emitindo notas breves e agudas, pausando nos ramos mais altos de alguma árvore, baixando o olhar sobre as folhas e os pináculos abaixo, e o campo alvo de flores, com sua relva fluida, e o mar que batia como um tambor a chamar um regimento de soldados com suas plumas e seus turbantes. Vez por outra, seus cantos se entrechocavam em rápidas escalas como os entrelaçamentos de uma torrente de montanha cujas águas, encontrando-se, espumam, depois se misturam, e disparam mais e mais depressa pelo mesmo canal, roçando as mesmas largas folhas. Mas há uma pedra, e elas se dividem.

O sol entrou no aposento, em cunhas agudas. O que quer que a luz tocasse assumia uma intensa existência. Um prato era como um alvo lago. Uma faca parecia um punhal de gelo. Subitamente, maçanetas revelavam-se, apoiadas em faixas de luz. Mesas e cadeiras emergiam à superfície, como se tivessem estado mergulhadas debaixo da água e agora se erguessem veladas de vermelho, laranja e violeta, parecendo a aveludada superfície da casca de um fruto maduro. As veias do verniz da porcelana, os nós da madeira, as fibras dos tapetes pareciam mais finamente gravados. Nada tinha sombras. Uma jarra era tão verde que o olho parecia sugado através de um funil por sua intensidade, agarrando-se nela como um marisco. Depois, as formas assumiam volume e contorno. Lá estava o ornamento de uma cadeira; ali, o volume de um armário. E, à medida que a luz crescia, flocos de sombras iam sendo expulsos, para a frente dela, aglomerando-se e pendendo em muitas dobras ao fundo.

***

– Que belo! Que estranho! – disse Bernard. – Londres a jazer diante de mim sob o nevoeiro, cintilante, com tantas pontas e cúpulas. Guardada por gasômetros, por chaminés de fábricas, jaz adormecida quando nos aproximamos. Segura o formigueiro contra o peito. Todos os gritos, todos os clamores estão docemente envoltos em silêncio. Nem a própria Roma parece mais majestosa. Mas nos projetamos contra ela: sua sonolência maternal torna-se insegura. Cumeeiras de casas erguem-se no nevoeiro. Despontam fábricas, catedrais, cúpulas de vidro, instituições e teatros. O primeiro trem do Norte arremessa-se para ela como um míssil. Ao passar, puxamos uma cortina. Rostos pasmos e expectantes fitam-nos ao dispararmos pelas estações. Ao serem varridos pelo nosso vento, homens agarram seus jornais um pouco mais firmemente e meditam na morte. Mas seguimos trovejando. Estamos prestes a explodir pelos flancos da cidade, como uma granada no peito de algum animal pesado, maternal, majestático. Ela rosna e murmura; aguarda-nos.

– Enquanto isso, estou parado a olhar pela janela do trem, sentindo, estranhamente, persuasivamente, que, por causa da minha grande felicidade (estar noivo), me torno parte dessa velocidade, desse míssil disparado contra a cidade. Tendo tolerância e aquiescência. Meu caro senhor, diria eu, por que se mexe, pegando a maleta e comprimindo nela o barrete que usou a noite toda? Nada do que fizermos terá utilidade. Uma esplêndida unanimidade se forma sobre todos nós. Aumentados e solenes, somos empurrados numa uniformidade como que debaixo da asa cinzenta de algum ganso gigantesco (uma bela manhã, mas sem cor), porque temos um só desejo – chegar à estação. Não quero que o trem pare com um baque surdo. Não quero que se rompa o vínculo que nos ligou a noite toda, sentados um em frente ao outro. Não quero sentir que o ódio e a rivalidade tenham retomado seu impulso, assim como diferentes desejos. Nossa comunhão, no trem em disparada, sentados juntos com um só desejo, o de chegar a Euston, foi muito agradável. Mas, cuidado! Acabou. Conseguimos nosso desejo. Somos empurrados para a plataforma. Afirmam-se a pressa e a confusão, e a vontade de passar primeiro pelo portão que dá para o elevador. Mas não pretendo ser o primeiro a atravessar o portão, assumir o ônus da vida individual. Eu, que desde a segunda-feira, quando ela me aceitou, carrego em cada nervo a sensação de identidade, eu, que não podia ver uma escova de dentes em um copo sem dizer "Minha escova de dentes", agora desejo espalmar as mãos e deixar cair meus objetos, e ficar apenas parado na rua, sem participar, observando os ônibus, sem cobiça, sem inveja, com o que seria uma ilimitada curiosidade quanto ao destino humano, se houvesse alguma aresta em minha mente. Mas não há nenhuma. Cheguei; fui aceito. Não peço nada.

– Satisfeito como uma criança tirada do seio, tenho agora liberdade para mergulhar fundo no que passa, a onipresente vida comum. (Quero observar como muitas coisas dependem das calças; uma cabeça inteligente fica inteiramente prejudicada por calças rotas.) Observam-se curiosas hesitações na porta do elevador. Por aqui, por ali, pelo outro lado? Depois, a individualidade se afirma. Foram embora. Todos impelidos por alguma necessidade. Alguma obrigação miserável, como comparecer a um compromisso, comprar um chapéu, separa essas belas criaturas humanas, antes tão unidas. Quanto a mim, não tenho objetivo. Não tenho ambição. Deixar-me-ei levar pelo impulso geral. A superfície da minha mente desliza numa torrente cinza-pálida, refletindo o que passa. Não consigo me lembrar de meu passado, meu nariz, a cor de meus olhos ou qual minha opinião a respeito de mim mesmo. Só em momentos de emergência, em um cruzamento, em um meio-fio, o desejo de preservar meu corpo irrompe, e me agarra, e me faz parar aqui, diante deste ônibus. Parece que insistimos em viver. Depois, a indiferença baixa novamente. O rumor do tráfego, a passagem de rostos iguais para lá e para cá fazem-me sonhar; apagam os traços dos rostos. As pessoas poderiam andar através de mim. E qual é este momento, este dia particular em que me surpreendi aprisionado? O bramido do tráfego pode ser qualquer tumulto – árvores de floresta ou rugido de animais selvagens. O tempo recuou uma polegada ou duas em seu trilho; nosso pequeno progresso foi cancelado. Também penso que nossos corpos na verdade estão nus. Estamos apenas levemente cobertos por roupas abotoadas; e debaixo desses calçamentos há conchas, ossos e silêncio.

— Ainda assim, é verdade que meu sonho, minha tentativa de avançar como alguém transportado sob a superfície de um rio, é depois interrompido, dilacerado, aguilhoado e abalado por sensações, espontâneas e irrelevantes, de curiosidade, cobiça, desejo, irresponsáveis como durante o sono. (Desejo aquela bolsa – etc.) Não, desejo mergulhar; visitar profundezas remotas; exercitar de vez em quando minha prerrogativa de nem sempre agir, mas de também explorar; ouvir sons vagos, ancestrais, de ramos estalando, de mamutes; ter indulgência para com impossíveis desejos de abarcar com os braços do entendimento o mundo inteiro – desejos impossíveis para aqueles que agem. Quando caminho, não tremo com as estranhas oscilações e vibrações de simpatia, que, desamarrado como estou do meu ser particular, me ordenam que abrace essas grandes manadas; os de olhar pasmo e os turistas; os mensageiros e as furtivas e fugazes mocinhas que, ignorando sua condenação, olham vitrinas? Mas tenho consciência da nossa passagem efêmera.

— Contudo, é verdade que não posso negar uma sensação de que, para mim, agora, a vida se prolongou misteriosamente. Talvez eu tenha filhos, possa entrever uma semente lançada mais longe, além desta geração, deste povo rodeado pela sua própria condenação, arrastando-se pela rua em uma competição interminável? Minhas filhas virão aqui, em outros verões; meus filhos vão lavrar novos campos. Consequentemente, não somos gotas de chuva logo secas pelo vento; fazemos jardins rebentarem e florestas bramirem; nascemos diferentes, por toda a eternidade. Então isso explica minha confiança, minha estabilidade central, que de outra forma seria monstruosamente absurda quando enfrento a torrente desta passagem congestionada, abrindo caminho entre os corpos das pessoas, aproveitando momentos seguros para atravessar. Isto não é vaidade, pois sou isento de ambições; não recordo meus dons especiais, nem idiossincrasias, nem as marcas que há na minha pessoa; nariz, olhos ou boca. Neste momento, não sou eu mesmo.

– Veja, está voltando. Não se pode extinguir esse odor persistente. Ela se esgueira por alguma fenda da estrutura – nossa identidade. Não sou parte da rua – não, eu observo a rua. Por isso, a gente se aparta. Por exemplo, naquela rua lateral, uma mocinha espera, em pé; por quem? Uma história romântica. Na parede daquela loja, há um pequeno guindaste afixado. Por que, perguntou, afixaram ali esse guindaste? E invento uma dama violeta a brotar de uma caleche, ajudada pelo marido sessentão que transpira. Uma história grotesca. Quer dizer, sou por natureza um fabricante de palavras, um soprador de bolhas através de uma coisa ou outra. E, soltando essas observações espontaneamente, elaboro a mim mesmo; diferencio-me e, ouvindo a voz que diz quando passo "Olhe! Tome nota disso!", imagino-me chamado a providenciar, em certa noite de inverno, um significado para todas as minhas observações – uma linha que corra de uma a outra, um resumo que as complete. Mas solilóquios em ruas laterais logo se tornam insípidos. Preciso de uma audiência. Esta é a minha fraqueza. Isso sempre enruga as margens da afirmativa final e evita que ela se forme. Não posso sentar--me em algum restaurante sórdido e encomendar o mesmo copo dia após dia e encharcar-me todo desse fluido – desta vida. Farei minha frase e fugirei com ela para algum quarto mobiliado em que haverá a luz de dúzias de velas. Preciso de olhos sobre mim, para esboçar esses ornamentos e esses babados. Para ser eu mesmo (percebo), preciso da iluminação dos olhos de outras pessoas; por isso, não posso ter certeza absoluta do que seja eu mesmo. Os autênticos, como Louis, como Rhoda, têm êxito mais completo na solidão. Ressentem--se da iluminação, da reduplicação. Uma vez pintados, jogam seus quadros no chão, com a face para baixo. Nas palavras de Louis, há uma grossa camada de gelo. Suas palavras nascem comprimidas, condensadas, permanentes.

– Por isso, depois dessa sonolência, desejo cintilar multifacetado sob a luz dos rostos de meus amigos. Tenho atravessado o território sombrio da não identidade. Uma terra estranha. Em meu instante de apaziguamento, deliberado em meu instante de satisfação, ouvi um suspiro entrar e sair, o suspiro da maré que se contrai debaixo desse círculo de luz brilhante, desse rufar de fúria enlouquecida. Tive um momento de imensa paz. Talvez isso seja felicidade. Agora, sou trazido de volta por sensações pungentes; curiosidade, avidez (tenho fome) e o desejo irresistível de ser eu mesmo. Penso em pessoas a quem poderia dizer coisas: Louis, Neville, Susan, Jinny e Rhoda. Perto deles, tenho várias facetas. Eles me recompõem nas trevas. Esta noite nos encontraremos, graças a Deus. Graças a Deus, não precisarei ficar sozinho. Jantaremos juntos. Diremos adeus a Percival, que vai para a Índia. A hora ainda está distante, mas já sinto a presença desses arautos, desses mensageiros que são em nós as imagens dos amigos ausentes. Vejo Louis burilado em pedra, escultural; Neville cortado a tesoura, exato; Susan com olhos como contas de cristal; Jinny dançando como uma labareda, febril, ardente, sobre terra seca; e Rhoda, a ninfa da fonte, sempre úmida. São imagens fantásticas – são ficções, visões de amigos ausentes, grotescas, hidrópicas, desfazendo-se ao primeiro toque da ponta de uma bota real. Mas ainda assim chamam-me à vida com seu rufar. Afastam os miasmas. Começo a impacientar--me com a solidão – a sentir seus babados pendendo em torno de mim, sufocantes e insalubres. Ah, jogá-los longe e agir! Qualquer pessoa serviria. Não sou exigente. O varredor de rua servirá; o carteiro; o garçom deste restaurante francês; melhor ainda, o amável proprietário, cuja amabilidade parece reservada para a gente. Ele mistura a salada com as próprias mãos para algum freguês privilegiado. Quem é o freguês privilegiado, pergunto, e por quê? E o que estará dizendo à dama de brincos; será uma amiga ou cliente? Sinto num momento, quando me sento à mesa, a deliciosa pressão da confusão, da incerteza, da possibilidade, da especulação. Imagens germinam instantaneamente. Fico embaraçado com minha própria fertilidade. Poderia descrever aqui, copiosamente, livremente, cada cadeira, mesa ou pessoa que almoça. Minha mente zumbe aqui e ali com seu véu de palavras para todas as coisas. Falar sobre o vinho, mesmo para o garçom, é provocar uma explosão. Lá se vai o foguete. Seus grãos dourados caem, fertilizando o rico solo da minha imaginação. Toda a natureza inesperada dessa explosão – é a alegria da comunicação. Eu, misturado com um desconhecido garçom italiano – o que sou eu? Não há estabilidade neste mundo. Quem dirá o significado de qualquer coisa? Quem predirá o voo de uma palavra? Um balão navega sobre as copas das árvores. Falar em conhecimento é fútil. Tudo é experiência e aventura. Sempre estamos nos misturando com quantidades desconhecidas. O que está por vir? Não sei. Mas, quando pouso meu corpo, recordo: estou noivo. Vou jantar com meus amigos esta noite. Sou Bernard, eu mesmo.

– Faltam agora cinco para as oito – disse Neville. Cheguei cedo. Tomei meu lugar à mesa dez minutos antes da hora, para saborear cada momento de antecipação; para ver a porta abrir e dizer: "É Percival? Não, não é Percival". Há um prazer mórbido em dizer: "Não, não é Percival". Vi a porta abrir e fechar vinte vezes; a cada vez, a tensão aumenta. Este é o lugar para onde ele vem. Esta é a mesa à qual se sentará. Aqui, por incrível que pareça, estará seu corpo verdadeiro. Esta mesa, estas cadeiras, este vaso de metal com suas três flores vermelhas estão prestes a passar por uma transformação extraordinária. O aposento, com suas portas giratórias, mesas cobertas de frutas e pernil frio, assume a aparência ondulante e irreal de um lugar onde se espera que algo aconteça. As coisas fremem como se ainda não existissem. A brancura da alva toalha de mesa resplandece. A hostilidade, a indiferença de outras pessoas que aqui jantam é opressiva. Olhamos uns para os outros; vemos que não nos conhecemos, olhamos, afastamo-nos. Esses olhares são chicotadas. Sinto neles toda a crueldade e indiferença do mundo. Se ele não viesse, eu não poderia suportar. Haveria de partir. Mas alguém deve estar vendo Percival agora. Deve

estar em algum táxi; deve estar passando por alguma loja. A cada instante, ele parece estar bombeando para dentro desta sala essa luz espicaçante, essa intensidade de ser, de modo que as coisas perderam sua função normal – a lâmina da faca é apenas um relampejo de luz, não algo para cortar. O normal foi abolido.
– A porta se abre, mas ele não vem. É Louis quem hesita ali. É a sua estranha mistura de segurança e timidez. Olha-se no espelho ao entrar; toca o cabelo; está insatisfeito com sua aparência. Diz: "Sou um duque – o último de uma antiga estirpe". Ele é ácido, cheio de suspeitas, dominador, difícil (estou comparando-o com Percival). Ao mesmo tempo é formidável, pois há riso em seus olhos. Ele me viu. Está aqui.
– Lá está Susan – disse Louis. – Ela não nos viu. Não se vestiu de modo especial porque despreza as futilidades de Londres. Para por um momento na porta giratória, olhando em torno como uma criatura ofuscada pela luz de uma lâmpada. Agora, move-se. Tem os movimentos furtivos, mas seguros (mesmo entre cadeiras e mesas) de um animal selvagem. Parece achar seu caminho por instinto entre estas mesinhas, sem tocar nenhuma, sem olhar os garçons, e vem direto para o canto onde está nossa mesa. Quando nos vê (Neville e eu), seu rosto assume uma segurança alarmante, como se tivesse obtido o que desejava. Ser amado por Susan seria como ser empalado no bico agudo de um pássaro, ser pregado na porta de um celeiro. Mas há momentos em que quase desejo ser lanceado por um bico, pregado numa porta de celeiro de uma vez por todas.
– Agora chega Rhoda, de lugar nenhum; esgueirou-se para dentro quando não estávamos olhando. Deve ter feito um caminho tortuoso, oculta ora atrás de um garçom, ora atrás de um pilar, de modo a adiar ao máximo o choque do reconhecimento, de modo a ter certeza de poder por mais um momento balançar suas pétalas na bacia. Nós a despertamos. Nós a torturamos. Ela nos odeia, despreza--nos, mas vem aduladoramente para nosso lado porque, apesar de toda a nossa crueldade, há sempre um nome, um

rosto que irradia uma claridade, que ilumina seus caminhos e lhe torna possível reabastecer seus sonhos.
– A porta abre, continua a abrir – disse Neville –, mas ele não chega.
– Lá está Jinny – disse Susan. – Parada na porta. Tudo parece suspenso. O garçom para. Os que jantam à mesa junto à porta olham. Ela parece o centro de tudo: ao seu redor, mesas, molduras de portas, janelas, tetos alinham-se em raios; raios em torno da estrela no meio de uma vidraça estilhaçada. Ela leva as coisas a um certo ponto, à ordem. Agora nos vê, e move-se, e todos os raios ondulam e fluem e oscilam sobre nós, trazendo novas ondas de sensação. Mudamos. Louis põe a mão na gravata. Neville, sentado à espera com agoniada intensidade, ajeita nervosamente os garfos à sua frente. Rhoda a vê com surpresa, como se um fogo incendiasse algum horizonte longínquo. E eu, embora empilhe em minha mente relva úmida, campos molhados, som de chuva no telhado e sopros de vento que fustigam a casa no inverno, assim protegendo minha alma contra ela, sinto sua zombaria esgueirar-se em torno de mim, sinto seu riso enrolar línguas de fogo em torno de mim, e iluminar impiedosamente minha roupa velha, minhas unhas de pontas quadradas, que imediatamente escondo debaixo da toalha.
– Ele não veio – disse Neville. – A porta abre e ele não vem. Este é Bernard. Quando tira o casaco, naturalmente mostra a camisa azul debaixo das axilas. Depois, diferentemente de todos nós, entra sem abrir porta alguma, sem notar que está entrando em uma sala cheia de pessoas estranhas. Não olha o espelho. Seu cabelo está desalinhado, mas ele não sabe disso. Não percebe que somos diferentes ou que esta mesa é sua meta. Hesita ao vir para cá. Quem será? Indaga a si mesmo quando mais ou menos reconhece uma mulher que usa uma capa de noite. Conhece um pouco todo mundo; não conhece ninguém (comparo-o com Percival). Mas, ao nos perceber, acena numa saudação benevolente; chega com tal benignidade, tamanho amor à

humanidade (marcado por humor quanto à futilidade da "humanidade apaixonada"), que, se não fosse por Percival, que transforma tudo isso em vaga fumaça, eu sentiria o que os outros já estão sentindo: agora, vem nossa festa; agora, estamos juntos. Mas sem Percival não há solidez. Somos silhuetas, fantasmas ocos que se movem nebulosos, sem pano de fundo.

– A porta giratória abre sem parar – disse Rhoda. – Entram pessoas estranhas, gente que nunca mais veremos, gente que nos roça de maneira desagradável com sua familiaridade, sua indiferença, e a sensação de que há um mundo que prossegue sem nós. Não podemos submergir, não podemos nos esquecer de nossos rostos. Mesmo eu, que não tenho rosto, que não faço diferença ao entrar (Susan e Jinny transformam rostos e corpos), flutuo desligada, sem ancorar em parte alguma, não consolidada, incapaz de compor qualquer espaço branco ou continuidade ou muro diante do qual esses corpos se movessem. É por causa de Neville e da sua miséria. O sopro áspero da sua miséria dispersa meu ser. Nada pode estabelecer-se; nada pode subsistir. A cada vez que a porta abre, ele olha fixamente para a mesa – não se atreve a erguer os olhos –, depois olha por um segundo e diz: "Ele não veio". Mas aqui está ele.

– Agora, minha árvore floresce – disse Neville. – Meu coração se alça. Toda opressão foi aliviada. Todo obstáculo removido. O reinado do caos terminou. Ele impôs ordem. As facas voltaram a cortar.

– Aí está Percival – disse Rhoda. – Não se vestiu para a ocasião.

– Aí está Percival – disse Bernard –, ajeitando o cabelo, não por vaidade (ele não se olha no espelho), mas para agradar ao deus da decência. É convencional; é um herói. Os menininhos corriam em bando atrás dele nos campos de esporte. Assoavam seus narizes quando ele assoava o nariz, mas sem qualquer resultado, pois ele é que era Percival. Agora que está prestes a nos deixar, a ir para a Índia, todas essas ninharias se acumulam. Ele é um herói. Oh, sim, não se pode negar isso, e quando senta junto de Susan, a quem ama, está completa a ocasião. Nós, que latíamos uns para os outros como chacais a nos mordermos reciprocamente os calcanhares, assumimos agora um ar sombrio e confiante de soldados diante do seu capitão. Nós, que estávamos separados pela nossa juventude (o mais velho de nós ainda não tem 25 anos), que cantávamos cada um sua canção como pássaros ansiosos a bater com egoísmo selvagem e implacável nossa própria concha até rachar (estou noivo), ou que pousávamos solitários fora de alguma janela de um quarto de dormir cantando amor, fama e outras experiências isoladas, tão caras ao pássaro implume com um tufo amarelo no bico, nós agora nos aproximamos uns dos outros; e, nos apertando em nosso poleiro, neste restaurante em que os interesses são variados, e onde a incessante passagem do tráfego nos desgasta com suas solicitações, e onde a porta, abrindo perpetuamente sua gaiola de vidro, nos chama com miríades de tentações, ferindo e injuriando nossa confiança – nós, sentados juntos aqui, nos amamos e acreditamos em nossa própria duração.

– Agora sairemos das trevas da solidão – disse Louis.

– Agora digamos, brutal e diretamente, o que temos em mente – disse Neville. – Nosso isolamento, nosso período de iniciação chegaram ao fim. Os furtivos dias de ocultamento e segredo, as revelações nas escadas, momentos de terror e êxtase.

– A velha sra. Constable erguia sua esponja e o calor se derramava sobre nós – disse Bernard. – Ficávamos vestidos com esse traje de carne, mutável e vivo.

– O cavalariço fazia amor com a copeira – disse Susan –, entre as roupas lavadas, infladas pelo vento.

– O sopro do vento era como um bafo de tigre – disse Rhoda.

– O homem jazia lívido na sarjeta, a garganta cortada – disse Neville. – Subo as escadas e não consigo levantar meu pé contra a implacável macieira com suas hirtas folhas de prata.

– A folha dançava na sebe sem ninguém soprar nela – disse Jinny.
– No nicho ardido de sol, as pétalas boiavam em profundezas verdes – disse Louis.
– Em Elvedon, os jardineiros varriam e varriam com grandes vassouras, e a dama sentava-se à mesa escrevendo – disse Bernard.
– Quando recordamos o passado ao nos encontrarmos – disse Louis –, puxamos os filamentos dessas bolas de fios enovelados.
– Depois – disse Bernard –, o tílburi chegou à porta e, baixando mais nossos chapéus novos de feltro sobre os olhos, para ocultarmos lágrimas pouco viris, seguimos pelas ruas onde até as criadas nos olhavam, e nossos nomes, pintados em branco nos baús, proclamavam ao mundo todo que estávamos a caminho da escola levando nos baús o número regulamentar de meias e ceroulas, nas quais, antes, no correr de algumas noites, nossas mães haviam bordado nossas iniciais. Uma segunda separação do corpo de nossa mãe.
– E a srta. Lambert, a srta. Cutting e a srta. Bard – disse Jinny –, damas monumentais em seus babados alvos e suas pedras coloridas, enigmáticas, com anéis de ametista movendo-se como círios virginais, turvos vaga-lumes, em páginas de Francês, Geografia e Aritmética, presidiam a aula; havia mapas, quadros de tecido verde e fileiras de sapatos em uma prateleira.
– As sinetas tocavam pontuais – disse Susan –, donzelas arrastavam pés e davam risadinhas. Havia cadeiras arrastadas no linóleo, e recolocadas no lugar. Mas de um sótão avistava-se uma paisagem azul, uma paisagem distante, um campo não maculado pela corrupção daquela existência regulamentada e falsa.
– Véus cascateavam de nossas cabeças – disse Rhoda. – Juntávamos em guirlandas flores com verdes folhas sussurrantes.

– Mudávamos, ficávamos irreconhecíveis – disse Louis.
– Expostos a todas essas luzes diversas (pois somos todos tão diferentes), o que havia dentro de nós emergia, intermitente, em ímpetos violentos, espacejado por lacunas brancas, chegando à superfície como se algum ácido tivesse pingado irregularmente sobre o prato. Eu era isso, Neville aquilo, Rhoda outra coisa diferente, Bernard também.
– Depois, deslizavam barcos entre pálidos ramos de salgueiro – disse Neville –, e Bernard, avançando com seu jeito casual por vastidões verdes, casas muito antigas, tropeçou num montículo a meu lado. Num acesso de emoção – ventos não seriam mais delirantes nem relâmpagos mais súbitos –, peguei meu poema, atirei meu poema e bati a porta atrás de mim.
– Eu, porém – disse Louis –, não mais os vendo, sentei-me em meu gabinete e arranquei a folha do calendário, anunciando ao mundo dos corretores marítimos, dos vendedores de cereais e dos estatísticos que, sexta-feira, 10, ou terça-feira, 18, amanhecera sobre Londres.
– Depois – disse Jinny –, Rhoda e eu, expostas em nossos vestidos claros, com algumas pedras aninhadas em um aro frio em volta de nosso pescoço, fizemos mesuras e apertamos mãos, e com um sorriso tirávamos sanduíches de um prato.
– O tigre saltava, a andorinha mergulhava suas asas em tanques de água escura, do outro lado do mundo – disse Rhoda.
– Mas aqui e agora estamos juntos – disse Bernard. – Reunimo-nos em um momento particular, neste lugar em especial. Fomos trazidos a esta comunhão por uma profunda emoção comum. Vamos chamá-la convenientemente de "amor"? Devemos falar de "amor por Percival" porque Percival vai para a Índia?
– Não, essa é uma palavra muito pequena, muito particular. Não podemos vincular a amplidão e o alcance de nossas emoções a um signo tão pequeno. Nós nos reunimos (vindos do Norte, do Sul, da fazenda de Susan, do escritório de Louis) para fazermos uma coisa passageira – pois o que é

passageiro? –, mas vista simultaneamente por muitos olhos. Há um cravo vermelho neste vaso. Uma única e simples flor, enquanto nos sentamos aqui à espera, mas agora uma flor de sete lados, muitas pétalas, rubra, castanho-avermelhada, com sombras roxas, hirta com suas pétalas de prata – uma flor inteira, à qual cada olho dá sua contribuição.

– Depois dos fogos caprichosos, da monotonia abissal da juventude – disse Neville –, a luz tomba sobre objetos reais. Aqui, há garfos e facas. O mundo está exposto, e nós também, de modo que podemos falar.

– Diferimos, talvez profundamente demais – disse Louis –, para haver explicações. Mas tentemos. Ajeitei meu cabelo ao entrar, por querer me parecer com vocês. Mas não consigo, pois não tenho individualidade e não sou completo como vocês. Já vivi mil vidas. A cada dia desenterro algo vivo cavando. Encontro relíquias de mim mesmo na areia que mulheres fizeram há milhares de anos, quando escutei canções junto ao Nilo, e o patear da besta acorrentada. O que veem ao lado de vocês, este homem, este Louis, é apenas cinzas e restos de algo outrora esplêndido. Fui um príncipe árabe; vejam meus gestos livres. Fui um grande poeta na época de Isabel. Fui um duque na Corte de Luís XIV. Sou muito vaidoso, muito seguro de mim; tenho um imensurável desejo de que as mulheres suspirem por mim. Hoje não almocei para que Susan me achasse abatido e Jinny me estendesse a singular fragrância de sua simpatia. Mas, enquanto admiro Susan e Percival, odeio os outros, pois é por causa deles que faço esses trejeitos, arrumando meu cabelo, vigiando meu sotaque. Sou o macaquinho que tagarela diante de uma noz, e vocês são as mulheres desmazeladas com lustrosas sacolas cheias de bolos podres; sou também o tigre enjaulado, e vocês os guardas com barras de ferro em brasa. Isto é, sou mais feroz e forte que vocês, mas o espectro que surge acima do solo, após séculos de não existência, será consumido pelo terror de que se riam de mim, mudando de direção conforme o vento sopre contra tempestades de fuligem, esforçando-se para forjar um anel de aço de clara poesia, que estabelecesse um vínculo entre gaivotas e mulheres de dentes podres, a flecha da igreja e os balouçantes chapéus-coco que avisto ao almoçar apoiando meu poeta preferido – será Lucrécio? – no galheteiro e no cardápio respingado de molho.

– Mas você nunca me odiará – disse Jinny. – Jamais me verá, nem do outro lado de uma sala cheia de cadeiras douradas e de embaixadores, sem vir ter comigo atravessando o aposento, a fim de obter minha aprovação. Quando entrei há pouco, tudo se imobilizou segundo um determinado modelo. Os garçons pararam, os que jantavam ergueram seus garfos e os mantiveram no ar. Eu tinha o aspecto de quem está preparada para tudo o que vier? Quando me sentei, vocês puseram as mãos nas gravatas, ocultaram-nas debaixo da mesa. Mas eu nada oculto. Estou preparada. A cada vez que a porta abre, exclamo: "Mais!". Todavia, minha imaginação são os corpos. Não posso imaginar nada fora do círculo que meu corpo abrange. Meu corpo vai diante de mim como uma lanterna em um relvado escuro, extraindo das trevas uma coisa após outra, para um círculo de luz. Deixo-os deslumbrados; faço com que acreditem – é tudo.

– Mas, quando você para na porta – disse Neville –, impõe silêncio, exigindo admiração, e isto é um grande estorvo à liberdade do relacionamento. Você para na porta, fazendo com que a notemos. Mas nenhum de vocês me viu quando eu me aproximava. Cheguei cedo; cheguei rápido e direto para cá, a fim de me sentar junto à pessoa de quem gosto. Minha vida tem uma rapidez que falta às de vocês. Sou como um cão de caça farejando. Caço do amanhecer ao crepúsculo. Nada, nem a busca da perfeição através das areias, nem a fama, nem o dinheiro, tem significado para mim. Mas nunca terei o que desejo, porque me faltam graça física e a coragem que ela traz. A rapidez de minha mente é excessiva para meu corpo. Falho antes de chegar ao fim, caio em um monte úmido, talvez repulsivo. Provoco piedade nas crises da vida, não amor. E sofro horrivelmente por isso. Mas não sofro para dar um espetáculo, como faz Louis. Tenho um senso demasiado sutil da realidade para me permitir essas chantagens, esses fingimentos. Isso me salva. E o que confere ao meu sofrimento uma agitação incessante. É o que me faz dar ordens mesmo quando estou calado. E como, sob certo aspecto, sou iludido, porque a pessoa está sempre mudando, e o desejo não, e pela manhã não sei com quem me sentarei à noite, nunca estagno; ergo-me de minhas piores desgraças, volto, transformo-me. Pedregulhos ricocheteiam na armadura de meu corpo musculoso e distendido. Envelhecerei nessa busca.

– Se eu pudesse acreditar que envelhecerei na busca e na mudança – disse Rhoda –, estaria livre do meu medo: nada persiste. Um momento não leva a outro. A porta abre e o tigre salta. Vocês não me viram chegar. Circulei em torno das cadeiras para evitar o horror do salto. Tenho medo de todos vocês. Tenho medo do choque da sensação que salta sobre mim porque não posso lidar com ela como vocês – não posso fazer um momento fundir-se no outro. Para mim são todos violentos, todos apartados; e, se eu cair ao impacto do salto do momento, vocês estarão sobre mim, fazendo-me em pedaços. Não tenho um fim em vista. Não sei como correr de minuto a minuto, hora a hora, dissolvendo-os por uma força natural até que formem a massa inteira e indivisível a que vocês chamam vida. Porque vocês têm um fim em vista – é uma pessoa ao lado de quem sentar, é uma ideia, é a beleza? Não sei – seus dias e horas passam assim como a ramaria de árvores e o macio verde da floresta passam para um cão disparando atrás de um faro. Mas não há um só odor, um só corpo que eu possa seguir. E não tenho rosto. Sou como a espuma que corre pela praia ou o luar que despenca como uma seta sobre uma vasilha de estanho, sobre uma espiga de azevém-do-mar, sobre um osso ou um barco meio carcomido. Sou levada em redemoinhos por cavernas, adejo como papel por corredores intermináveis, preciso comprimir minha mão na parede para me conter.

– Mas, como acima de tudo desejo abrigo, finjo ter um fim em vista quando subo lentamente as escadas atrás de Jinny e Susan. Puxo minhas meias tal como as vejo puxar as suas. Espero que falem, depois falo da mesma maneira. Sou impelida através de Londres para determinado ponto, determinado lugar, não para ver você, nem você, nem você, mas para acender meu fogo no incêndio geral de vocês, que vivem inteiros, indivisíveis e sem se importar.

– Quando entrei na sala esta noite – disse Susan –, parei, olhei em torno como um animal com os olhos pregados no chão. O cheiro de tapetes e móveis e o perfume me repugnam. Gosto de caminhar sozinha por campos úmidos, ou parar em um portão e observar meu *setter* a farejar em círculos, e perguntar: onde está a lebre? Gosto de estar com pessoas que esmagam ervas entre os dedos, e cospem no fogo, e arrastam os pés em longos corredores, de chinelos como meu pai. As únicas palavras que compreendo são gritos de amor, ódio, fúria e dor. Esta conversa é como despir uma anciã cujo vestido parecia parte dela; mas agora, à medida que falamos, ela aparece rosada por baixo, tem coxas enrugadas e peitos caídos. Quando tornam a se calar, vocês são belos. Nunca terei nada senão felicidade natural. Isso quase me satisfará. Irei cansada para a cama. Eu me deitarei como um campo sustendo o rodízio de suas colheitas; no verão, o calor dançará sobre mim; no inverno, terei rachaduras de frio. Mas calor e frio se seguirão um ao outro de maneira natural, sem que eu queira ou não queira. Meus filhos me levarão adiante; sua dentição, seu choro, sua ida à escola e sua volta serão como ondas do mar debaixo de mim. Não haverá dia sem essa movimentação. Serei erguida mais alto do que qualquer um de vocês, nos flancos das estações do ano. Quando morrer, possuirei mais do que Jinny ou Rhoda. Mas, por outro lado, ali onde vocês forem variados e vibrarem mil vezes com ideias e risos alheios, eu permanecerei sombria, matizada em tons de tempestade e roxo. Serei aviltada e maltratada pela bestial, maravilhosa paixão da maternidade. Empurrarei adiante inescrupulosamente o destino de meus filhos. Odiarei os que virem seus erros. Mentirei para ajudá-los. Deixarei que me separem de você, você e você. Também sou dilacerada pelo ciúme. Odeio Jinny porque ela me mostra que minhas mãos são vermelhas, minhas unhas roídas. Amo com tamanha ferocidade, que morro quando o objeto de meu amor mostra por uma só frase que pode escapar. Ele escapa, e fico agarrada a uma corda que entra e sai das folhas do topo das árvores. Não compreendo frases.

– Se eu tivesse nascido sem saber que uma palavra segue a outra – disse Bernard –, talvez, quem sabe, pudesse ser qualquer coisa. Mas do modo como as coisas são, encontrando sequências por toda a parte, não suporto a pressão da solidão. Quando não vejo palavras enroscando-se como anéis de fumaça ao meu redor, fico nas trevas – sou nada. Quando estou só, caio em letargia, e digo debilmente a mim mesmo, enquanto remexo as cinzas através da grade da lareira: a sra. Moffat vai chegar. Ela vai chegar e limpar tudo. Quando Louis está só, vê com espantosa intensidade e escreve algumas palavras que poderão sobreviver a todos nós. Rhoda adora estar sozinha. Tem medo de nós porque dispersamos a sensação de existir, que é tão extrema na solidão – vejam como ela agarra seu garfo: sua arma contra nós. Mas eu só começo a existir quando o encanador, o vendedor de cavalos, ou seja lá quem for, diz alguma coisa que me incendeia. Então, como é adorável a fumaça de minhas palavras, erguendo-se e tombando, ostentando-se e tombando sobre lagostas rubras e frutos amarelos, enlaçando tudo em uma só coisa bela. Mas observem como é prostituída a frase – feita de evasivas, antigas mentiras. Assim meu caráter é parte do estímulo que outras pessoas fornecem, e não é meu, como o de vocês é de vocês. Há uma listra fatal, um veio móvel e irregular de prata, que o enfraquece. Vem daí o que costumava deixar Neville furioso na escola: que eu o abandonasse. Saía com os menininhos presunçosos com seus barretes e distintivos, em grandes carruagens – alguns deles estão aqui esta noite, jantando juntos, corretamente vestidos, antes de saírem em perfeita harmonia para o concerto; eu os amava. Pois me fazem existir, como certamente vocês o fazem. Por isso, também, quando deixo vocês, e o trem parte, sentem que não é o trem que parte, mas eu, Bernard, que não se importa, que não sente, que não tem sua passagem e talvez tenha perdido sua carteira. Susan, fitando a corda que entra e sai das folhas das faias, grita: "Ele se foi! Escapou de mim!". Pois não há nada para agarrar. Sou feito e refeito continuamente. Pessoas diferentes tiram diferentes palavras de mim.

— Assim, não há uma pessoa, mas cinquenta pessoas ao lado das quais desejo sentar-me esta noite. Mas sou o único entre vocês que se sente em casa aqui, sem tomar liberdades. Não sou rude; não sou esnobe. Se estou exposto às pressões da sociedade, muitas vezes consigo, com a habilidade da minha língua, tornar corrente algo difícil. Vejam meus brinquedinhos, feitos do nada em um segundo, como distraem. Não amealho – quando morrer, deixarei apenas um armário com roupas velhas – e sou quase indiferente às vaidades menores da vida que tanto tormento causam a Louis. Mas sacrifiquei muito. Com meus veios de ferro, prata e barro comum, não posso cerrar firmemente o punho, tal como o fazem os que não dependem de estímulos. Sou incapaz das recusas, dos heroísmos de Louis e Rhoda. Jamais conseguirei, nem na conversa, fazer uma frase perfeita. Mas terei contribuído mais que vocês para o momento que passa; entrarei em mais salas, mais salas diferentes, do que vocês. Mas, porque há algo que vem de fora, e não de dentro, serei esquecido; quando minha voz se calar, vocês não se lembrarão de mim, exceto como o eco de uma voz que um dia teceu frases sobre um fruto.

— Olhem – disse Rhoda –, ouçam. Vejam como a luz se torna mais rica a cada segundo, e como há florescência e maturidade por toda a parte; e como nossos olhos, ao abrangerem esta sala com todas as suas mesas, parecem varar cortinas de cores, vermelho, laranja, matizes sombrios e estranhamente ambíguos, que cedem como véus e se fecham atrás deles, com cada coisa fundindo-se em outra.

– Sim – disse Jinny –, nossos sentidos se ampliaram. Membranas, redes de nervos brancos e flácidos intumesceram-se e distenderam-se, e flutuam em torno de nós como filamentos, tornando o ar palpável e captando sons longínquos, antes não ouvidos.

– O bramido de Londres nos circunda – disse Louis. – Automóveis, furgões, ônibus passam e repassam continuamente. Todos estão fundidos na roda giratória de um único som. Todos os sons separados – rodas, sinos, gritos de bêbados ou de foliões – misturam-se em um único som, azul-aço, esférico. Então, uma sirene uiva. Diante disso, praias afastam-se deslizando, chaminés se aplainam, o navio parte para o mar aberto.

– Percival vai partir – disse Neville. – Estamos sentados aqui, circundados, acesos, coloridos; todas as coisas – mãos, cortinados, facas e garfos, outras pessoas jantando – escorrem umas para dentro das outras. Todos estamos murados aqui. Mas a Índia fica do lado de fora.

– Vejo a Índia – disse Bernard. – Vejo a praia plana e longa; vejo as superfícies tortuosas de barro pisado que levam para dentro e para fora de pagodes arruinados; vejo construções douradas com ameias, com aspecto frágil e decadente, como construções edificadas às pressas, temporariamente, em alguma feira oriental. Vejo uma parelha de bois puxando uma carreta baixa ao longo da estrada castigada pelo Sol. A carreta balança desengonçada de um lado para outro. Agora, uma roda atola na trilha e imediatamente incontáveis nativos de tangas a rodeiam, tagarelando excitados. Mas não fazem nada. O tempo parece interminável, toda ambição inútil. Por cima de tudo paira a sensação de inutilidade da ação humana. Há cheiros estranhos e rançosos. Um ancião em uma vala continua a mascar bétel e a contemplar seu umbigo. Mas agora, vejam, Percival se adianta; Percival cavalga uma égua picada de pulgas e usa capacete. Aplicando os modelos do Ocidente, usando a linguagem violenta que lhe é natural, em menos de cinco minutos recoloca a carreta em seu lugar. O problema oriental foi resolvido. Ele segue adiante; a multidão junta-se ao seu redor, contemplando-o como se fosse – o que realmente é – um deus.

– Desconhecido, com ou sem segredos – disse Rhoda –, não importa. Ele é como uma pedra caída em um tanque de água repleto de peixinhos coloridos. Como peixinhos coloridos, nós, que disparávamos para lá e para cá, disparamos todos para rodeá-lo quando chega. Como peixinhos coloridos, conscientes da presença de uma grande pedra, ondulamos e redemoinhamos contentes. Uma sensação de conforto baixa sobre nós. Corre ouro em nossas veias. Um, dois; um, dois; o coração pulsa quieto, confiante, em um transe de bem-estar, um êxtase de bondade; e, vejam – as partes mais longínquas da Terra –, sombras pálidas no mais longínquo horizonte, como a Índia, por exemplo, estão ao nosso alcance. O mundo, que fora encolhido, arredonda-se; províncias remotas são retiradas das trevas; vemos estradas lamacentas, florestas intricadas, bandos de homens e o abutre que se alimenta de uma carcaça inchada, como se estivessem dentro do nosso meio, como parte da nossa esplêndida e altiva província, pois, cavalgando sozinho uma égua mordida de pulgas, Percival avança por uma trilha solitária, tem sua tenda presa entre árvores desoladas, diante de montanhas enormes.

– É Percival, sentado quieto como se sentava entre o capim que faz cócegas, quando a brisa dividia as nuvens e elas se juntavam novamente – disse Louis –, quem nos torna conscientes de que são falsas essas tentativas que estamos fazendo de dizer "Sou isto, sou aquilo", reunindo-nos como partes separadas de um corpo e uma alma. Algo foi deixado de fora, por medo. Algo foi alterado, por vaidade. Tentamos acentuar diferenças. Pelo desejo de sermos separados, acentuamos nossas faltas e nossas particularidades. Mas, abaixo, há uma corrente girando em redor, em redor, num círculo azul-aço.

– É ódio, é amor – disse Susan. – É a furiosa torrente negra como carvão que nos deixa tontos se olhamos para ela, lá embaixo. Estamos parados aqui na saliência de um rochedo, mas, se olhamos para baixo, sentimos vertigem.

– É amor – disse Jinny –, é ódio, como o que Susan sente por mim porque um dia beijei Louis no jardim; porque, quando entro, arrumada como estou, faço-a pensar: "Minhas mãos estão vermelhas", e escondê-las. Mas nosso ódio quase não se distingue do nosso amor.

– Mas essas águas rumorejantes sobre as quais construímos nossas loucas plataformas – disse Neville – são mais estáveis que os gritos selvagens, fracos e inconsequentes que emitimos quando, tentando falar, nos erguemos; quando raciocinamos e pronunciamos coisas falsas como "Eu sou isto; sou aquilo!". A linguagem é falsa.

– Mas eu como. Aos poucos, enquanto como, perco a noção de particularidades. Estou ficando pesado de tanta comida. Essas porções deliciosas de pato assado, corretamente cobertas de verduras, seguindo-se umas às outras em uma delicada rotação de calor, peso, doce e amargo, passam pelo meu palato, descem pela garganta, entram em meu estômago, estabilizam meu corpo. Sinto quietude, gravidade, controle. Tudo agora é sólido. Instintivamente, meu palato agora exige e antecipa doçura e claridade, algo doce e evanescente; e vinho frio, cobrindo como uma luva os nervos mais finos, que parecem tremer no céu de minha boca e fazê-lo espalhar-se (quando bebo) por uma caverna abobadada, verde de folhas de parreira, com aroma almiscarado, roxo de uvas. Agora posso olhar firmemente o redemoinho que espuma abaixo. Com que nome especial devemos designá-lo? Deixem Rhoda falar, ela cujo rosto vejo refletido nebulosamente no espelho à nossa frente; Rhoda, a quem interrompi quando balançava suas pétalas em uma bacia castanha, pedindo o canivete que Bernard roubara. Para ela o amor não é um redemoinho. Não tem vertigens quando olha para baixo. Rhoda olha bem por cima de nossas cabeças, para além da Índia.

– Sim, entre seus ombros, sobre suas cabeças, vejo uma paisagem – disse Rhoda –, uma garganta aonde chegam as íngremes colinas como asas dobradas de pássaros. Lá, na turfa curta e firme, há arbustos de folhas escuras, e diante de sua escuridão vejo um vulto, mas não de uma pedra, pois se move, talvez vivo. Mas não é você, nem você, nem você; nem Percival, Susan, Jinny, Neville ou Louis. Quando o braço alvo repousa sobre o joelho, é um triângulo: agora está erguido – uma coluna; agora, é uma fonte despencando. Não faz sinal, não acena, não nos vê. O mar brame atrás dele. Está fora do nosso alcance. Mas aventuro-me até lá. Vou até lá reabastecer meu vazio, distender minhas noites e enchê-las de mais e mais sonhos. E, por um segundo, até mesmo agora, até mesmo aqui, toco meu objeto e digo: "Não ande mais. Todo o resto é tentativa e fingimento. Aqui é o fim". Mas essas peregrinações, esses momentos de separação, sempre começam na presença de vocês, partem desta mesa, destas luzes, de Percival e Susan, aqui e agora. Vejo sempre o bosque por sobre suas cabeças, entre seus ombros, ou de uma janela quando atravessei uma sala em uma festa, e me ponho a olhar a rua lá embaixo.

– Mas e os chinelos dele? – disse Neville. – E sua voz no vestíbulo? E a visão dele quando não nos enxerga? Esperamos e ele não vem. Fica cada vez mais tarde. Ele esqueceu. Está com outra pessoa. É infiel, seu amor não significava nada. Ah, então a agonia – então o desespero intolerável! E eis que a porta abre. Ele está aqui.

– Com frêmitos de ouro, eu lhe digo: "Venha" – disse Jinny. – E ele vem; atravessa a sala até onde estou sentada, com meu vestido espraiando-se como um véu ao redor de minha cadeira dourada. Nossas mãos tocam-se, nossos corpos pegam fogo. A cadeira, a taça, a mesa – tudo se ilumina. Tudo vibra, tudo brilha, tudo se incendeia.

– Olhe, Rhoda – disse Louis –, eles se tornaram noturnos, arrebatados. Seus olhos são como asas de mariposas movendo-se tão depressa que de modo algum parecem mover-se.

– Cornetas e trombetas soam – disse Rhoda. – Folhas se desdobram; cervos gritam nas moitas. Há danças e rufar de pés, como a dança e o rufar de homens nus com azagaias.

– Como a dança de selvagens em torno da fogueira – disse Louis. – Eles são selvagens; são insensíveis. Dançam em círculo, tocando tambores. As chamas saltam em seus rostos pintados, sobre as peles de leopardo e os membros sangrentos que arrancaram do corpo vivo.

– As chamas da festa erguem-se altas – disse Rhoda. – A grande procissão passa, agitando ramos verdes e galhos floridos. Suas cornetas sopram uma fumaça azul; suas peles ficam jaspeadas de vermelho e amarelo à luz das tochas. Jogam violetas. Cobrem a amada com guirlandas e folhas de louro, ali no círculo de turfa para onde as colinas escarpadas descem. A procissão passa. E enquanto passa, Louis, temos consciência da queda, prevemos a decadência. A sombra baixa. Nós, que somos conspiradores, reunidos para nos debruçarmos sobre alguma urna fria, notamos como vai diminuindo a labareda roxa.

– Com as violetas – disse Louis –, entrelaça-se a morte (morte e mais uma vez morte).

– Como nos sentamos aqui altivos – disse Jinny –, nós que ainda nem temos 25 anos! Lá fora, as árvores florescem; lá fora, as mulheres passam lentas; lá fora, os tílburis volteiam, rodam macios. Emergindo das tentativas, das obscuridades e deslumbramentos da juventude, olhamos diretamente em frente, prontos para o que possa vir (a porta abre, a porta continua a abrir). Tudo é real; tudo é firme, sem sombra ou ilusão. A beleza cavalga nossas frontes. Esta é a minha, aquela a de Susan. Nossa carne é firme e fria. Nossas diferenças são nitidamente delineadas como sombras de rochas em pleno sol. Ao nosso lado jazem pãezinhos frescos, rijos, de um amarelo vítreo; a toalha da mesa é alva; nossas mãos estão meio enrascadas, prontas para se contraírem. Há dias e dias por vir; dias de inverno, dias de verão; mal começamos a abrir nosso tesouro. Agora, o fruto inchou debaixo da folha. A sala está dourada, e digo a ele: "Venha".

– Ele tem orelhas vermelhas – disse Louis. – E o odor de carne pende como uma rede úmida, enquanto funcionários de escritórios da cidade fazem refeições rápidas nas lanchonetes.

– Com um tempo infinito à nossa frente – disse Neville – perguntamos: o que fazer? Devemos perambular por Bond Street, olhando aqui e ali, talvez comprando uma caneta--tinteiro porque é verde, ou perguntando quanto custa o anel de pedra azul? Ou devemos nos sentar dentro de casa contemplando os carvões em brasa? Devemos estender nossas mãos para livros e ler uma passagem aqui, outra ali? Devemos gritar de tanto rir, sem motivo? Devemos passar por campos floridos, fazendo guirlandas de margaridas? Devemos descobrir quando parte o próximo trem para as Hébridas e reservar um compartimento privado? Tudo está por vir.

– Para você – disse Bernard –, mas eu ontem choquei-me com uma caixa de correios. Ontem fiquei noivo.

– Que estranhos parecem os montinhos de açúcar ao lado de nossos pratos – disse Susan. – Também as cascas pintalgadas das peras, e as molduras de camurça dos espelhos. Eu não as vira antes. Lá fora tudo está estabelecido; fixo. Bernard ficou noivo. Algo irrevogável aconteceu. Um círculo foi traçado sobre as águas; uma corrente imposta. Nunca mais flutuaremos livremente.

– Só por um momento – disse Louis. – Antes que a corrente se rompa, antes que a desordem retome, vejamos como estamos fixos, expostos, vejamos como estamos presos em um torno.

– Mas agora o círculo se rompe. A torrente agora flui. Agora, dispara mais rápida que antes. Agora, as paixões à espera nas plantas escuras que crescem no fundo erguem--se e nos fustigam com suas ondas. Dor e ciúme, inveja e desejo, e algo mais profundo que eles, mais forte do que o amor, mais subterrâneo. Fala a voz da ação. Ouça, Rhoda (pois somos conspiradores com nossas mãos na urna fria), a voz casual, rápida e excitante da ação, cães correndo atrás de um faro. Agora falam, sem maiores cuidados ao concluírem as frases. Conversam em linguagem reduzida, como a dos amantes. Estão possuídos por algo brutal e imperioso. Os nervos fremem em suas coxas. Seus corações pulsam e remexem-se nos flancos. Susan amassa seu lenço. Nos olhos de Jinny dançam labaredas.

– São imunes a dedos que os peguem e a olhos que os busquem – disse Rhoda. – Com que facilidade viram-se e olham; que posturas de altivez e energia assumem! Que viela lampeja nos olhos de Jinny; como é feroz, como é inteiriço o olhar de Susan, buscando insetos entre as raízes! O cabelo de ambas é lustroso. Seus olhos queimam como olhos de animais a correr entre folhas atrás do faro da presa. O círculo foi desfeito. Somos lançados longe uns dos outros.

– Mas cedo, cedo demais – disse Bernard –, essa exaltação egoísta falha. Cedo demais passa o momento de ávida identidade, e o apetite de felicidade, e mais felicidade, e ainda mais felicidade, é saciado. A pedra mergulha; o momento passou. Ao redor de mim espraia-se uma larga margem de indiferença. Agora abrem-se em meus olhos mil outros olhos de curiosidade. Qualquer um tem agora liberdade de assassinar Bernard, que está noivo, desde que deixem intocada essa margem de território desconhecido, essa floresta do mundo ignorado. Por que, pergunto (sussurrando discretamente), mulheres jantam sozinhas reunidas ali? Quem são? E o que as trouxe nesta noite especial a este ponto especial? A julgar pela maneira nervosa como de tempos em tempos passa a mão na parte de trás da cabeça, o jovem no canto é do interior. Está ocupando um emprego provisório e sente-se tão ansioso por corresponder à bondade do amigo do pai, seu anfitrião, que mal pode saborear agora o que saboreará intensamente às onze e meia, amanhã pela manhã. Também vi a dama empoar o nariz três vezes no meio de uma conversa absorvente – talvez sobre amor, talvez sobre a desgraça da sua melhor amiga. "Ah, mas em que estado está o meu nariz!", pensa ela, e lá vem sua esponja de pó, obliterando a passagem aos mais fervorosos sentimentos do coração humano. Contudo, permanece insolúvel o problema do homem solitário com seus óculos; da senhora idosa tomando champanhe sozinha. Quem e o que são esses desconhecidos? – pergunto. Eu poderia fazer uma dúzia de histórias com o que ele disse, o que ela disse – posso ver uma dúzia de imagens. Mas o que são histórias? Brinquedos que formo com os dedos, bolhas que sopro, um anel atravessando o outro. E por vezes começo a duvidar se há histórias. Qual é a minha história? Qual a de Rhoda? A de Neville? Há fatos, como: "O simpático jovem de terno cinza, cuja reserva contrasta tão singularmente com a loquacidade dos outros, agora limpou com a mão as migalhas do colete e, com um gesto característico, a um tempo imperioso e benevolente, fez sinal para o garçom, que chegou no mesmo instante e voltou um momento depois com a conta discretamente dobrada em um prato". Esta é a verdade; este é o fato, mas para além disso tudo só há escuridão e conjecturas.

– Agora, mais uma vez, estamos prestes a nos separar – disse Louis –, depois de pagarmos nossa conta, e o ciclo de nosso sangue, tantas vezes interrompido bruscamente, pois somos tão diferentes, fecha-se em um anel. Alguma coisa se formou. Sim, quando nos erguemos e remexemos, um pouco nervosos, sustentando nas mãos esse sentimento comum, suplicamos: "Não se mova, não deixe a porta giratória cortar em pedaços o que fizemos, o que assumiu forma esférica aqui entre essas luzes, essas cascas, essa confusão de migalhas e gente passando. Não se mova, não vá. Segure isso para todo o sempre".

– Vamos segurá-lo por um momento – disse Jinny. – Amor, ódio, qualquer que seja o nome que lhe dermos, essa esfera cujas paredes são constituídas por Percival, juventude é beleza, é algo tão profundamente imerso em nós que talvez nunca mais possamos obter um momento assim com um só homem.

– Florestas e países distantes do outro lado do mundo – disse Rhoda – estão dentro dela; mares e selvas; os uivos dos

chacais e o luar que tomba sobre algum alto rochedo sobrevoado pela águia.
– Há felicidade dentro dela – disse Neville –, assim como a quietude das coisas comuns. Uma mesa, uma cadeira, um livro com um abridor de cartas enfiado entre as páginas. E a pétala que cai da rosa, e a luz que bruxuleia quando nos sentamos silenciosos ou talvez a refletir alguma fala súbita e insignificante.
– Nela há dias de semana – disse Susan. – Segunda, terça, quarta; cavalos indo para os campos, cavalos retornando; gralhas erguendo-se e baixando, apanhando os olmos em sua rede, seja abril, seja novembro.
– O que está por vir existe nela – disse Bernard. – É a última gota e a mais luminosa, que deixamos cair como mercúrio celeste no intumescido e esplêndido momento que criamos com Percival. O que está por vir? – pergunto, retirando migalhas do meu colete, o que há lá fora? Sentados comendo e sentados conversando, provamos que podemos adicionar algo ao tesouro dos momentos. Não somos escravos condenados a sofrer incessantemente, em nossas costas curvadas, pequenos golpes não percebidos. Nem somos carneiros, seguindo um guia. Somos criadores. Também fizemos algo que se reunirá às inumeráveis congregações do passado. Nós também, colocando nossos chapéus e abrindo a porta, não entramos no caos, mas em um mundo que nossa própria força pode subjugar e tornar parte da estrada luminosa e eterna.
– Enquanto chamam o táxi, Percival, veja as perspectivas que você perderá tão cedo. A rua é dura e polida pelo roçar de incontáveis rodas. O dossel amarelo da nossa tremenda energia pende como um pano ardente sobre nossas cabeças. Teatros, salas de concerto e lâmpadas em residências particulares formam essa luz.
– Nuvens picotadas viajam por um céu escuro como barbatanas polidas de baleias – disse Rhoda.
– Agora começa a agonia; agora o horror me prendeu em suas garras – disse Neville. – Agora chega o carro; agora

Percival se vai. O que podemos fazer para retê-lo? Como ultrapassar a distância entre nós? Como soprar o fogo de modo que arda para sempre? Como indicar para todos os tempos futuros que nós, parados na rua, à luz do lampião, amamos Percival? Agora, Percival se foi.

***
O Sol erguera-se plenamente. Não era mais entrevisto e adivinhado por sugestões e fulgurações, como se uma jovem pousasse em seu colchão verde-marinho a fronte com joias de brilho liquefeito, as quais lançam setas de luz opalina que caem e relampejam no ar indeciso como os flancos de um delfim que salta, ou o brilho de uma lâmina que cai. Agora, o Sol queimava inflexível e irrefutável. Batia na areia dura, e as rochas tornavam-se fornalhas de rubro calor; vasculhava todas as poças e colhia os peixinhos coloridos escondidos nas gretas, mostrando a roda de carreta enferrujada, o osso branco, a bota sem cadarços enfiada na areia, negra como ferro. Dava a tudo a medida exata de cor; às dunas de areia seu cintilar inumerável, aos capins silvestres seu verde resplandecente; ou caía sobre uma árida extensão do deserto, aqui estriado pelo vento, ali varrido para desoladas pedras tumulares, mais adiante salpicado de raquíticas árvores verde--escuro. Incendiava a suave mesquita dourada, as frágeis casas de cartas de baralho, brancas e rosa, da aldeia do sul, e as mulheres de seios compridos e cabelos brancos, ajoelhadas no leito do rio, batendo nas pedras roupas retorcidas. Navios a apitarem lentos sobre o mar eram colhidos pelo olhar abrangente do Sol, que incidia, entre toldos amarelos, sobre passageiros que cochilavam ou passeavam no convés protegendo os olhos com a mão em busca de terra, enquanto, dia após dia, o navio os transportava monotonamente pelas águas, comprimidos em seus flancos oleosos e palpitantes.

O Sol caía nos pináculos compactos das colinas ao sul, e rebrilhava em profundos leitos pedregosos de rios, onde a água se recolhera debaixo da alta ponte de arcos, de modo que, ajoelhadas em pedras quentes, as lavadeiras dificilmente conseguiam molhar seus panos; e onde mulas esqueléticas abriam caminho entre pedras cinzentas e inseguras, com cestos de vime no lombo estreito.

Ao meio-dia, o calor do Sol tornava cinzentas as colinas, como se raspadas e chamuscadas por uma explosão, enquanto mais adiante, ao norte, em terras mais nubladas e chuvosas, as colinas se adoçavam em fatias como que alisadas pelas costas de uma faca, e mostravam uma luz interior, como se uma sentinela, bem lá dentro, andasse de sala em sala com uma lamparina verde. Através de átomos de ar azul-cinza, o sol desabava sobre campos ingleses iluminando charcos e poças, uma gaivota branca em uma estaca, o lento singrar de sombras sobre florestas de copas rombudas, e trigo novo, e fluidos campos de feno. Incidiu no muro do pomar, e cada orifício e grão do tijolo ficou pontilhado de prata, roxo, chamejando como se fosse macio ao tato, como se, tocado, fosse derreter-se em ondulações e cascatas de um vermelho lustroso; ameixeiras intumesciam suas folhas, e todos os talos de grama eram unidos por um líquido fogo verde. A sombra das árvores mergulhava, nas raízes, em uma poça escura. Descendo em jorros, a luz dissolvia as folhas isoladas em um só túmulo verde.

    Os pássaros cantavam cantos apaixonados, endereçados a um só ouvido, depois interrompiam-se. Gorgolejando e casquinando, carregavam tiscos de palha e gravetos para os nós escuros nos ramos mais altos. Roxos e dourados, pousavam no jardim, onde cones de laburno e amaranto despejavam ouro e lilás, pois agora, ao meio-dia, o jardim era todo flores e profusão, e até os túneis debaixo das plantas ficavam verdes e roxos e acastanhados, quando o sol varava as pétalas rubras, ou as grandes pétalas amarelas, ou era detido por algum caule verde, de grossa penugem.

    O sol incidia direto sobre a casa, fazendo as paredes brancas reluzirem entre as janelas escuras. Seus caixilhos, densamente tramados de ramos verdes, guardavam círculos de impenetrável escuridão. Agudas quinas de luz jaziam sobre o peitoril e mostravam no interior do quarto pratos com beiras azuis, xícaras com alças recurvadas, o volume de uma grande jarra, o desenho em ziguezague do tapete, e os imponentes cantos e linhas de armários e prateleiras. Atrás desse conglomerado, pendia uma zona de sombra, na qual podia existir mais algum vulto a ser despido de sombra, ou profundezas ainda mais densas de escuridão.

As ondas quebravam-se, esparramando agilmente suas águas sobre a praia. Uma após outra, amontoavam-se e desabavam; com a força da queda os respingos voltavam-se sobre si mesmos. As ondas eram de um macerado azul-profundo, exceto pelo desenho dos diamantes em seus dorsos, que fremiam como dorsos de grandes cavalos que vibram os músculos quando se movem. As ondas tombavam; recuavam e tombavam novamente, como o baque surdo de um grande animal pateando.

***

– Está morto – disse Neville. – Levou um tombo. Seu cavalo tropeçou. Foi lançado fora. As velas do mundo giraram e me atingiram na cabeça. Tudo está terminado. As luzes do mundo apagaram-se. Aí está a árvore que não posso ultrapassar.

– Ah, amassar esse telegrama entre meus dedos, deixar a luz do mundo retomar em jorros, dizer que isso não aconteceu! Mas por que virar a cabeça assim de um lado para outro? Esta é a verdade. Este é o fato. O cavalo tropeçou; ele foi lançado fora. As árvores em disparada e as cercas brancas ergueram-se em turbilhão. Um movimento de ressaca; um rufar em seus ouvidos. Depois, o golpe; o mundo se despedaçando; ele respirava com dificuldade. Morreu onde caiu.

– Celeiros e dias de verão no campo, quartos em que estivemos sentados – tudo agora jaz em um mundo irreal, que se foi. Meu passado está separado de mim. Vieram correndo. Carregaram-no até um pavilhão, homens com botas de montar, homens de capacete; morreu entre desconhecidos. Muitas vezes ficava envolvido pela solidão e pelo silêncio. Ele muitas vezes me abandonou. Depois, quando retornava, eu dizia: "Vejam só, ele está vindo!".

– Mulheres arrastam os pés ao passar pela janela, como se não houvesse um abismo no meio da rua, uma árvore, de folhas hirtas que não podemos ultrapassar. Então merecemos tropeçar em um montículo de terra. Somos infinitamente abjetos, passando de olhos fechados, a arrastar os pés. Mas por que haveria de me submeter? Por que tentar erguer meu pé e subir a escada? É aqui que estou parado; aqui, segurando o telegrama. O passado, dias de verão e quartos em que estivemos sentados, vai-se como papel queimado com olhos vermelhos dentro dele. Por que encontrar-se e recomeçar? Por que falar e comer e fazer outras ligações com outras pessoas? A partir de agora, sou solitário. Ninguém me conhecerá mais. Tenho três cartas, "Estou prestes a jogar malha com um coronel, nada mais que isso", assim ele encerra nossa amizade, abrindo caminho na multidão, com um aceno. Essa farsa já não merece celebração formal. Mas se alguém tivesse apenas dito: "Espere"; se tivesse apertado a cilha três buracos mais – ele teria feito justiça por cinquenta anos, e se sentaria no tribunal, e cavalgaria sozinho à frente de tropas, e denunciaria alguma tirania monstruosa, e voltaria para nós.

– Agora, digo que há um esgar, um subterfúgio. Algo escarnece de nós, às nossas costas. Aquele menino ali quase perdeu a firmeza ao saltar do ônibus. Percival caiu; morreu; está enterrado; e observo pessoas passando; agarrando-se firmes aos corrimões dos ônibus; determinadas a salvar suas vidas.

– Não erguerei meu pé para subir a escada. Ficarei parado um momento sob a árvore imitigável, sozinho com o homem cuja garganta foi cortada, enquanto no andar térreo a cozinheira maneja os reguladores do forno. Não subirei a escada. Estamos condenados, todos nós. Mulheres arrastando os pés passam com sacolas de compras. As pessoas continuam passando. Mas não me destruirás. Por este momento, só por este momento, estamos juntos. Aperto-te contra mim. Venha, dor, devora-me. Enterra tuas garras em minha carne. Rasga-me em pedaços. Choro, choro.

– Tamanha é a ininteligibilidade da combinação – disse Bernard –, tamanha a complexidade das coisas, que, quando desço a escadaria, não sei o que é dor, o que é alegria. Meu filho nasceu; Percival está morto. Sou amparado por pilares, escorado dos dois lados por fortes emoções; mas qual a dor, qual a alegria? Indago, e não sei, apenas preciso de silêncio,

e de estar sozinho, e de sair, e de guardar uma hora para refletir sobre o que aconteceu ao meu mundo, sobre o que a morte fez a esse meu mundo.
– Então este é o mundo que Percival já não vê. Quero olhar. O açougueiro entrega carne no vizinho; dois velhos cambaleiam pela calçada; pardais pousam no chão. Então a máquina funciona; percebo o ritmo, a pulsação, mas como algo de que não participo, pois que ele já não o vê. (Está deitado, pálido e com ataduras, em algum aposento.) Então agora é minha chance de descobrir o que é importante, e preciso ter cautela, e não mentir. Meu sentimento em relação a ele era: ele sentava-se no centro. Agora não vou mais àquele lugar. Está vazio.

– Ah, sim, posso assegurar-lhes, homens de chapéus de feltro e mulheres carregando cestos, vocês perderam algo que lhes teria sido de grande valor. Perderam um líder a quem teriam seguido; e um de vocês perdeu a felicidade e os filhos. Está morto aquele que lhes teria dado isso. Jaz numa cama de campanha, com ataduras, em algum quente hospital da Índia, enquanto trabalhadores hindus de cócoras no chão agitam leques – esqueci como se chamam. Mas isto é o importante: "Você está fora disso tudo", disse eu enquanto pombos baixavam sobre telhados e meu filho nascia como se fosse um fato. Lembro-me de quando menino, ele tinha aquele estranho ar de desinteresse. E continuo dizendo (meus olhos enchem-se de lágrimas, depois secam): "Mas isso é melhor do que eu me atreveria a esperar". Dirigindo-me ao que é abstrato, que me enfrenta sem olhos no fim de uma avenida, no céu, digo: "Isso é o máximo que você consegue fazer?". Então triunfamos. "Você fez o máximo que podia", digo, falando em vão para aquele rosto vazio e brutal (pois ele tinha 25 anos e deveria ter vivido até os 80). Não desperdiçarei uma vida chorando. (Uma anotação a ser registrada em minha caderneta: desprezo pelos que provocam morte sem sentido.) Também isto é importante: que eu seja capaz de colocá-lo em situações frívolas e ridículas, de modo que não se sinta absurdo, empoleirado em um grande cavalo. Devo ser capaz de dizer: "Percival, um nome ridículo". Ao mesmo tempo, quero dizer-lhes, homens e mulheres a correr para a estação do metrô, que vocês o teriam respeitado. Ter-se-iam enfileirado e seguido atrás dele. Como é estranho abrir caminho nas multidões, vendo a vida através de olhos ocos, olhos ardentes.

– Mas já começam os sinais, os chamados, as tentativas de me atrair de volta. A curiosidade é eliminada só por pouco tempo. Não se pode viver fora da engrenagem mais do que talvez meia hora. Percebo que os corpos já começam a parecer comuns; mas o que está por trás deles é diferente – a perspectiva. Atrás daquele anúncio de jornal fica o hospital; o longo aposento com homens pretos puxando cordas; e depois o enterram. Mas, como o anúncio diz que uma famosa atriz se divorciou, pergunto instantaneamente: Qual? Todavia, não consigo tirar um tostão; não consigo comprar um jornal; ainda não consigo tolerar qualquer interrupção.

– Pergunto, se nunca mais verei você, nem fixarei meus olhos sobre sua solidez, que forma assumirá nossa comunicação? Você atravessou o campo, cada vez mais longe, tornando mais e mais tênue o fio que nos liga. Mas em algum lugar você existe. Algo de seu permanece. Um juiz. Quer dizer, se eu descobrir em mim um veio novo, vou submetê--lo a você em particular. Perguntarei: qual seu veredicto? As coisas serão difíceis demais de explicar: haverá novas coisas; agora, já há meu filho. Estou no zênite de uma experiência. Ela declinará. Já não grito com convicção: "Que sorte!". Exaltação, revoada de pombos descendo, acabou. O caos e o detalhe retomam. Não me divirto mais com nomes escritos em vitrines. Não sinto mais: "Por que essa pressa? Para que pegar trens?". A sequência retoma; uma coisa leva a outra – na ordem habitual.

– Mas ainda me ressinto da ordem habitual. Não me permitirei ainda aceitar a sequência das coisas. Caminharei; não mudarei o ritmo da minha mente, parando, olhando; caminharei. Subirei por esses degraus até a galeria e me submeterei à influência de mentes como a minha, fora da sequência. Resta pouco tempo para responder à pergunta; meus poderes vão afrouxando; sinto-me entorpecido. Aqui há quadros. Aqui há frias madonas entre pilares. Que elas façam repousar a incessante atividade do olho da mente, a cabeça com ataduras, os homens com cordas, de modo que eu possa encontrar algo não visual. Aqui há jardins; e Vênus entre flores; aqui há santos e madonas azuis. Piedosamente, esses quadros não fazem referência a nada; não mexem comigo; não apontam para nada. Assim expandem a consciência que tenho dele, e o trazem de volta a mim de maneira diferente. Lembro-me de sua beleza. "Vejam só, ele está vindo", disse eu.

– Linhas e cores quase me persuadem de que também posso ser heroico; eu, que faço frases com facilidade e depressa sou seduzido, amo o que vem a seguir, e não posso fechar meu punho, mas vacilo debilmente fazendo frases, conforme minhas circunstâncias. Agora, por meio de minha própria fragilidade, recupero o que ele foi para mim: o meu oposto. Sendo honesto por natureza, ele não via a causa desses exageros, possuía um natural senso de adequação, e foi na verdade um grande mestre da arte de viver, de modo que parece ter vivido muito tempo, e ter espalhado calma ao seu redor, quase se poderia dizer, indiferença, certamente para seu próprio progresso, embora também tivesse grande compaixão. Uma criança brincando – uma noite estival –, portas abrirão e fecharão, continuarão abrindo e fechando, e através delas tenho visões que me fazem chorar. Pois não podem ser comunicadas. Daí nossa solidão; nossa desolação. Volto àquele ponto em minha mente, e o encontro vazio. Minhas próprias fraquezas me oprimem. Ele já não existe, para contrastar com elas.

– Contemplemos, pois, a madona azul que chora. Esta é a minha cerimônia fúnebre. Não temos rituais, apenas elegias e nenhuma conclusão, apenas sensações violentas, cada uma isolada da outra. Nada do que foi dito combina com nosso caso. Estamos sentados na sala italiana da National

Gallery e colhemos fragmentos. Duvido que Ticiano jamais tenha sentido esse rato a roer. Pintores vivem vidas de metódica absorção, acrescentando um traço a outro traço. Não são como poetas – bodes expiatórios; não estão acorrentados a um rochedo. Daí o silêncio, a sublimidade. Mas aquele vermelho-vivo deve ter ardido nas entranhas de Ticiano. Sem dúvida ele se ergueu, com os grandes braços segurando a cornucópia, e caiu naquele declive. Mas o silêncio pesa sobre mim – a perpétua solicitação do olhar. A pressão é intermitente e amortecida. Distingo muito pouco e muito vagamente. A campainha foi comprimida e não ressoo nem emito clamores irrelevantes ou dissonantes. Sinto desordenadamente a cintilação de algum esplendor; o vermelho-vivo franzido contra o forro verde; a linha dos pilares; a luz alaranjada atrás das orelhas pretas e pontudas das oliveiras. Setas de sensação disparam em minha coluna vertebral, mas desordenadamente.

– Algo, porém, se acrescenta à minha interpretação. Algo jaz enterrado mais fundo. Por um momento, pensei que o agarrava. Mas enterrem-no, enterrem-no; deixem que germine, oculto nas profundezas de minha mente, para um dia frutificar. Depois de uma longa vida, frouxamente, em um momento de revelação, eu talvez o pegue, mas agora a ideia se fragmenta em minha mão. Ideias fragmentam-se mil vezes para cada vez que formarem uma espera inteira. Partem-se; caem sobre mim. Em linhas e cores sobrevivem, daí...

– Bocejo. Estou saturado de sensações. Estou exausto pela tensão e pelo longo, longo tempo – vinte e cinco minutos, meia hora – que passei mantendo-me sozinho, desligado da engrenagem. Estou ficando entorpecido; estou ficando rígido. Como poderei romper esse torpor que desmente meu coração compassivo? Há outros sofrimentos – multidões de gente sofrendo. Neville sofre. Amava Percival. Mas não posso mais suportar extremismos; quero alguém com quem rir, com quem bocejar, com quem lembrar como ele coçava a cabeça; alguém com quem ele ficava à vontade, de quem gostava (não Susan, a quem amava, mas Jinny). Pois, então, no quarto dela eu poderia fazer penitência. Poderia perguntar: "Ele lhe contou que recusei quando me convidou a ir a Hampton Court naquele dia?". São esses os pensamentos que me acordarão, debatendo-me em angústia, no meio da noite – os crimes pelos quais se faria penitência em todas as praças do mundo, de cabeça nua; não ter ido a Hampton Court naquele dia.

– Mas agora quero vida ao meu redor, e livros, e pequenos enfeites, os sons habituais dos vendedores chamando, para neles repousar minha cabeça depois dessa exaustão, e fechar meus olhos depois dessa revelação. Quero descer direto as escadas, e chamar o primeiro táxi, e ir até a casa de Jinny.

– Eis a poça de lama – disse Rhoda –, e não posso cruzá--la. Ouço o rumor da grande pedra de rebolo a uma polegada da minha cabeça. Seu vento ruge em meu rosto. Todas as formas palpáveis de vida me faltaram. A não ser que eu possa estender a mão e tocar alguma coisa dura, serei soprada pelos corredores eternos, para sempre. Então, o que poderei tocar? Que tijolo, que pedra? – E assim passar a salvo através da imensa voragem, retornando ao meu corpo?

– Agora, a sombra caiu e a luz violeta desce oblíqua. Agora, a estátua que se trajava de beleza está vestida de ruínas. A estátua parada na floresta para onde as colinas escarpadas descem está caindo em ruínas, conforme eu lhes disse quando afirmaram que amavam a voz dele na escada, e seus sapatos velhos e os momentos que passaram juntos.

– Agora descerei Oxford Street, divisando um mundo dilacerado por relâmpagos; verei carvalhos despedaçados e vermelhos de onde caiu o galho florido. Irei a Oxford Street comprar meias para uma festa. Farei coisas costumeiras, sob os clarões dos relâmpagos. Apanharei violetas no solo nu e as reunirei em um buquê e as ofertarei a Percival, algo dado a ele por mim. Vejamos o que Percival me deu. Vejamos a rua, agora que Percival está morto. As casas têm alicerces leves para poderem ser sopradas do lugar por uma lufada de vento. Os carros disparam e trovejam descuidados, ao acaso, perseguindo-nos até a morte como sabujos. Estou sozinha em um mundo hostil. O rosto humano é horrendo. É isso que aprecio. Quero publicidade e violência e ser lançada como uma pedra contra as rochas. Aprecio chaminés de fábricas e guindastes e vagões. Gosto da passagem de um rosto, e outro rosto, e mais outro, deformados, indiferentes. Estou nauseada de beleza; estou nauseada de privacidade. Cavalgo sobre as águas e afundarei sem ninguém que me salve.

– Com sua morte, Percival me deu este presente, revelou-me este terror, fez com que me submetesse a esta humilhação – rostos e mais rostos, distribuídos como pratos de sopa por lavadores de pratos; grosseiros, sôfregos, descuidados; devorando tudo com os olhos, esfregando, destruindo, deixando impuro até mesmo o nosso amor, tocado agora por seus dedos sujos.

– Esta é a loja onde comprarei meias. E poderia acreditar que a beleza flui mais uma vez. Seu sussurro vem por essas passagens, por essas rendas, respirando entre cestos de fitas coloridas. Então há cálidas cavidades entalhadas no coração do tumulto; alcovas de silêncio em que podemos refugiar-nos sob a asa da beleza, da verdade que desejo. A dor fica suspensa quando silenciosamente uma jovem abre uma gaveta. E depois ela fala; sua voz me acorda. Disparo até o fundo entre as ervas e vejo inveja, ciúme, ódio e desprezo, fugindo rápidos como caranguejos sobre a areia, enquanto ela fala. São estes os nossos companheiros. Pagarei minha conta e pegarei meu embrulho.

– Esta é Oxford Street. Aqui estão ódio, ciúme, pressa e indiferença, envoltos na selvagem aparência de vida. Estes são os nossos companheiros. Consideremos os amigos com quem nos sentamos e comemos. Penso em Louis, lendo a coluna de esportes de um jornal vespertino, com medo do ridículo; um esnobe. Olhando as pessoas que passam, diz que, se o seguirmos, nos guiará. Se nos submetermos, vai levar-nos à ordem. Assim há de suavizar a morte de Percival a seu gosto, olhando fixamente o céu por sobre o galheteiro, para além do casario. Enquanto isso, Bernard desaba numa poltrona, olhos vermelhos. Pegará seu caderno de notas; no "M" escreverá: "Frases para serem usadas na morte de amigos". Jinny, em piruetas pelo quarto, pousará no braço da cadeira dele, perguntando: "Será que ele me amava? Mais do que a Susan?". E Susan, noiva do seu fazendeiro do interior, ficará parada por um segundo diante do telegrama, segurando um prato; depois com um pontapé com o salto do sapato fechará a porta do forno. Neville, após olhar a janela através de lágrimas, verá por meio dessas lágrimas e indagará: "Quem passa pela janela? Que rapaz adorável?". Este é o meu tributo a Percival; violetas murchas, violetas enegrecidas.

– Para onde então devo ir? Algum museu onde guardam anéis em caixas de vidro, onde há armários especiais e vestidos que rainhas usaram? Ou devo ir a Hampton Court, ver as paredes vermelhas e os jardins e a serenidade dos teixos em grupos erguendo na relva, entre flores, pirâmides simétricas? Lá recobrarei a beleza, imporei ordem à minha alma revolta e desgrenhada? Devo parar sozinha na relva deserta e dizer: gralhas, voem; alguém passa com uma bolsa; há um jardineiro com um carrinho de mão. Eu pararei numa fila e cheirarei suor, e emanarei um odor tão horrível quanto o do suor; e serei dependurada com outras pessoas como um quarto de boi entre outros quartos de boi.

– Aqui há uma sala em que se paga e entra, e se ouve música entre pessoas sonolentas que vieram para cá depois do almoço numa tarde quente. Comemos carne e pudim o bastante para vivermos uma semana sem tocar em comida. Por isso nos agarramos como vermes nas costas de qualquer coisa que nos carregue. Com decoro, com imponência – temos cabelos brancos ondulados debaixo de nossos chapéus; sapatos finos; bolsas pequenas; faces bem escanhoadas; aqui e ali, um bigode militar; nem um grão de pó tem permissão de aninhar-se em qualquer lugar das nossas roupas de casimira. Sacudindo e abrindo programas, com algumas palavras de saudação a amigos, instalamo-nos,

como vacas-marinhas encalhadas em rochedos, pesados corpos incapazes de rolar até o mar, esperando que uma onda nos erga; mas somos pesados demais, e há demasiadas pedras secas entre nós e o mar. Ficamos ali estirados, empanturrados de comida, entorpecidos no calor. Depois, inchada, mas contida no cetim escorregadio, a mulher verde-marinho vem nos salvar. Chupa os lábios, assume um ar de intensidade, infla-se e se arremessa exatamente no momento certo, como se visse uma maçã e sua voz fosse uma seta atingindo a nota: "Ah!".
— Um machado dividiu a árvore até o cerne; o cerne está quente; dentro do córtice vibra um som. "Ah!", exclamou uma mulher a seu amante, debruçando-se de sua janela em Veneza. "Ah, ah!", exclama, e novamente: "Ah!". Ela nos forneceu um grito. Tão somente um grito. E o que é um grito? Depois, homens em forma de besouro entram com seus violinos; esperam; contam; fazem sinal com a cabeça; baixam-se os arcos. E há um frêmito e risos como a dança das oliveiras, suas folhas com miríades de línguas, quando, mordendo um raminho entre os dentes; lá onde as colinas escarpadas descem, um marujo salta para a praia.
— "Como" e "como" e "como" — mas qual é a coisa que jaz debaixo da aparência da coisa? Agora que o relâmpago fez um talho na árvore, e o ramo florido caiu, e Percival me deu este presente com sua morte, quero ver a coisa. Há um quadrado; há um retângulo. Os músicos pegam o quadrado e colocam-no sobre o retângulo. Fazem isso acuradamente, formando um abrigo perfeito. Muito pouca coisa fica de fora. Agora a estrutura está visível; aqui se estabelece o que é incipiente; não somos tão variados nem tão vis; fizemos retângulos e colocamos sobre quadrados. Este é o nosso triunfo; este, o nosso consolo.
— A doçura transbordante desta descoberta desce pelas paredes de minha mente e oblitera o entendimento. Não ande mais, digo; este é o fim. O quadrado foi posto sobre o retângulo; a espiral no topo. Fomos arrastados para o mar sobre pedregulhos. Os músicos voltam, mas estão

enxugando os rostos. Já não estão tão elegantes e afáveis. Partirei. Porei de lado esta tarde. Irei a Greenwich. Lançar--me-ei destemida em bondes, em ônibus. Quando oscilamos Regent Street abaixo, e sou jogada sobre esta mulher, sobre este homem, não fico ofendida, não fico indignada com o choque. Um quadrado sobre um retângulo. Aqui há ruas sórdidas em que se regateia em mercados na calçada, e se exibe toda a sorte de barras de ferro, cavilhas e parafusos, e as pessoas chegam em bandos pela calçada beliscando carne crua com dedos gordos. A estrutura está visível. Fizemos um abrigo.

– Então são essas as flores que crescem entre os rudes capins do campo, espezinhados pelas vacas, mordidos pelo vento, quase deformados, sem fruto ou flor. É isso que trago, arrancado pelas raízes na calçada de Oxford Street, meu raminho de um pence, meu raminho de violetas que custou um pence. Agora, da janela do bonde, vejo mastros entre chaminés; lá está o rio; lá há navios que partirão para a Índia. Andarei à margem do rio. Caminharei por esse aterro onde um velho lê um jornal numa cabine de vidro. Caminharei por esse terraço e observarei os navios fendendo a maré. Uma mulher anda pelo convés, com um cão latindo ao seu redor. Suas saias estão infladas de vento; seu cabelo esvoaça; estão saindo para o mar; estão nos deixando; estão sumindo nessa noite de verão. Agora vou desistir; agora vou me abandonar. Agora por fim libertarei meu desejo reprimido, meu desejo contido de ser consumida. Galoparemos juntos pelas colinas desertas onde a andorinha molha suas asas em tanques de água escura e os pilares estão intactos. Na onda que se rompe na praia, na onda que lança sua espuma aos recantos mais distantes da Terra, jogo minhas violetas, minha oferenda a Percival.

***
O Sol já não estava no meio do céu. Sua luz inclinava-se, caindo oblíqua. Aqui apanhava a quina de uma nuvem e a incendiava numa fatia de luz, uma ilha esbraseada sobre a qual nenhum pé poderia pousar. Depois outra nuvem era colhida pela luz, e outra, e

mais outra, de modo que as ondas abaixo eram flechadas por dardos de plumas de fogo, disparados ao acaso pelo fremente azul. As folhas mais altas da árvore estavam crestadas de sol. Farfalhavam rígidas na brisa errante. Os pássaros pousavam quietos, exceto quando viravam bruscamente as cabeças de um lado para outro. Agora faziam uma pausa em seu canto, como se estivessem saciados de som, como se a plenitude do meio-dia os tivesse empanturrado. A libélula pousava imóvel sobre um junco, depois disparava distante sua agulha azul. O zumbido distante parecia feito do tremor débil de finas asas dançando para baixo e para cima no horizonte. A água do rio agora fixava os juncos como se houvesse vidro hirto em torno deles; depois o vidro ondulava, e os juncos balouçavam até embaixo. O gado parava nos campos, meditando, cabeças baixas, e movia desajeitadamente um pé, depois outro. Na tina perto da casa a torneira parou de pingar, como se a tina estivesse cheia; depois a torneira pingou uma, duas, três gotas separadas, sucessivamente.

As janelas mostravam manchas errantes de fogo aceso, cotovelo de um galho, depois algum tranquilo espaço de pura claridade. A cortina pendia rubra no canto da janela, e dentro do quarto adagas de luz tombavam sobre cadeiras e mesas abrindo rachaduras em sua laca ou seu verniz. O pote verde parecia imenso, com sua janela branca alongada no flanco. Empurrando a escuridão à frente, a luz derramava-se profusa sobre quinas e saliências; e acumulava negrume em montes informes.

As ondas concentravam-se, curvavam os dorsos e quebravam. Pedras e cascalho espirravam no ar. Giravam em torno dos rochedos, e os borrifos de água, saltando alto, respingavam as paredes de uma caverna que antes estivera seca, deixando poças na terra, onde algum peixe encalhado batia sua cauda enquanto a onda recuava.

* * *

– Já assinei meu nome vinte vezes – disse Louis. – Eu, e novamente eu, e novamente eu. Lá está meu nome, claro, firme, inequívoco. Também sou bem delineado e inequívoco. Mas uma vasta herança de experiência acumula-se em mim. Vivi mil anos. Sou como um verme que abriu seu caminho comendo a madeira de uma trave de carvalho muito antiga. Mas agora sou compacto; agora estou inteiro, nesta bela manhã.

– O Sol brilha em um céu limpo. Mas o meio-dia não traz chuva nem sol. É a hora em que a srta. Johnson vem com minhas cartas em um cesto de arame. Identifico meu nome nesses papéis brancos. O sussurro de folhas, água correndo em sarjetas, profundezas verdes manchadas de dálias ou zínias; eu, ora um duque, ora Platão, companheiro de Sócrates; o andar pesado de homens escuros e homens amarelos migrando para leste, oeste, norte e sul; a procissão eterna, mulheres com pastas de documentos pelo Strand como outrora iam com cântaros ao Nilo; todas as folhas enroladas e comprimidas da minha múltipla vida agora estão resumidas no meu nome; inscritas clara e sobriamente na página. Agora homem adulto, parado ereto no sol ou na chuva, preciso cair pesado como uma machadinha e cortar o carvalho com meu peso todo, pois se me desviar, olhando para cá ou para lá, tombarei como neve e serei dissipado.

– Estou meio apaixonado pela máquina de escrever e pelo telefone. Com cartas e cabos e ordens breves mas corteses, ao telefone, para Paris, Berlim, Nova Iorque, fundi as minhas muitas vidas numa só; ajudei com minha assiduidade e decisão a desenhar essas linhas no mapa, enlaçando as diferentes partes do mundo. Amo ser pontual ao entrar às dez na minha sala; amo o brilho violeta do mogno escuro; amo a mesa e sua quina pronunciada; e as gavetas que correm macias. Amo o telefone com seu lábio estendido para meu sussurro, e a folhinha na parede; e minha agenda: o sr. Prentice às quatro; o sr. Eyres exatamente às quatro e meia.

– Gosto que me peçam que entre na sala particular do sr. Burchard e relatar nossas realizações na China. Espero herdar uma poltrona e um tapete turco. Meu ombro empurra a roda; rolo a escuridão à minha frente, espalhando comércio onde havia caos, nas partes mais distantes do mundo. Se eu pressionar mais, transformando o caos em ordem, encontrar-me-ei onde estiveram Chatham, Pitt, Burk e Sir Robert Peei. Assim apago certas manchas e anulo velhas corrupções; a mulher que me deu a bandeira do alto da árvore de Natal; meu sotaque; surras e outras torturas; os meninos presunçosos; meu pai, banqueiro em Brisbane.

– Li meu poeta em um restaurante e, mexendo meu café, escutei os empregados de escritórios fazendo suas apostas em mesinhas, observei mulheres hesitando no balcão. Eu disse que nada seria irrelevante, como um pedaço de papel pardo jogado acidentalmente no chão. Eu disse que suas jornadas deveriam ter um fim em vista; deveriam ganhar suas £ 2,10 por semana, trabalhando sob o comando de algum senhor nobre; uma mão, um traje deveriam cingir-nos à noite. Quando eu tiver curado essas fraturas e compreendido essas monstruosidades, de modo que não precisem nem de desculpas nem de perdão, coisas que desperdiçam nossa energia, devolverei à rua e ao restaurante o que perderam quando tombaram sobre esses tempos difíceis e quebraram nessas praias empedradas. Reunirei algumas palavras e forjarei para nós um anel de aço batido.

– Mas agora não tenho um minuto a perder. Aqui não há repouso, nenhuma sombra de folhas trêmulas, ou alcova onde possa abrigar-me do sol, sentar-me com uma amante, no frescor da noite. O peso do mundo está sobre nossos ombros; sua visão vara nossos olhos; se pestanejamos ou olhamos para o lado, ou recuamos para procurar o que Platão disse, ou recordar Napoleão e suas conquistas, infligiremos ao mundo o dano de algum desvio. Isto é a vida; o sr. Prentice às quatro; o sr. Eyres às quatro e meia. Gosto de escutar o suave deslizar do elevador e o baque surdo com que para no meu andar, e o trilhar viril de pés responsáveis pelos corredores. Assim, unindo nossas forças, enviamos navios às partes mais remotas do globo; repletos de lavatórios e aparelhos de ginástica. O peso do mundo está sobre nossos ombros. Isto é a vida. Se eu progredir, herdarei uma poltrona e um tapete; um lugar em Surrey, com estufas

de plantas e algumas coníferas raras, melões ou árvores floridas pelas quais outros comerciantes me invejarão.
– Ainda mantenho meu quarto no sótão. Lá, abro meu habitual livrinho; lá observo a chuva cintilar nas telhas até que brilhem como o impermeável do policial; lá vejo as janelas quebradas nas casas pobres; os gatos magros; alguma mulher desmazelada dando uma olhadela no espelho rachado enquanto arruma o rosto para seu trabalho nas esquinas; Rhoda vem ver-me algumas vezes. Porque somos amantes.
– Percival morreu (morreu no Egito; morreu na Grécia; todas as mortes são uma só morte). Susan tem filhos; Neville sobe rapidamente para alturas notáveis. A vida passa. As nuvens mudam perpetuamente sobre as casas. Faço isto, faço aquilo, novamente isto ou aquilo. Encontrando-nos e separando-nos, assumimos formas diversas, formamos diversos padrões. Mas se eu não afixar essas impressões no quadro e formar um só com os muitos homens que vivem em mim; se eu existir aqui e agora, e não em faixas e remendos, como neve dispersa em montanhas distantes; se eu não perguntar à srta. Johnson sobre os filmes quando passo pelo escritório nem tomar minha xícara de chá e aceitar meu biscoito favorito, então tombarei como a neve e serei dissipado.
– Mas, quando batem seis horas e toco o chapéu com os dedos saudando o chefe da seção, sempre efusivo demais nos cumprimentos porque quero ser aceito; e luto resistindo ao vento, roupa bem abotoada, maxilar azul e olhos lacrimejando, então desejo que aquela pequena datilógrafa se aninhe nos meus joelhos; penso que meu prato favorito é fígado com *bacon*; e assim sou capaz de andar até o rio, até as ruelas onde as casas públicas são abundantes, e as sombras dos navios passam no fim da rua, e mulheres brigam. Mas, recuperando meu juízo, digo a mim mesmo: o sr. Prentice às quatro; o sr. Eyres às quatro e meia. O machado tem de cair sobre o cepo; o carvalho tem de ser fendido ao meio. O peso do mundo repousa nos meus ombros. Aqui estão caneta e

papel; assino meu nome nas cartas do cesto de arame, eu, eu, e novamente eu.

– Chega o verão – disse Susan – e o inverno. As estações passam. A pera intumesce e cai da árvore. A folha morta repousa na beirada. Mas o vapor embaciou a vidraça. Sento--me junto ao fogo e contemplo a chaleira que ferve. Vejo a pereira entre as listras de vapor na vidraça.

– Durma, durma, canto baixinho, seja verão ou inverno, maio ou novembro. Durma, canto eu – eu, que não sou musical nem ouço música, exceto música rústica quando um cão ladra, um sino toca ou rodas rangem no cascalho. Canto minha canção junto ao fogo como uma velha concha murmurando na praia. Durma, durma, digo, mantendo afastados com minha voz todos os que batem com vasilhas de leite, atiram em gralhas, disparam contra coelhos, ou de algum modo trazem o choque da destruição perto deste berço balouçante que carrega doces membros enrolados debaixo de um cobertor rosa.

– Perdi minha indiferença, meus olhos vazios, meus olhos em formato de pera, que espreitavam raízes. Já não sou janeiro, maio ou qualquer estação, mas estou toda tramada numa fina rede ao redor do berço, minha criança. Durma, digo, e sinto despertar dentro de mim uma violência mais selvagem, sombria, que abateria com um só golpe qualquer intruso, qualquer estranho que irrompesse neste quarto e acordasse quem dorme.

– Arrasto-me pela casa o dia inteiro, de avental e chinelos, como minha mãe, que morreu de câncer. Seja verão ou inverno, já não sei disso pelo capim dos pântanos ou pela flor estival; apenas pela vidraça embaciada, ou coberta de geada. Quando a cotovia lança alto seu anel de som, e ele despenca pelos ares como uma maçã podada do ramo, debruço-me; alimento meu filho. Eu, que costumava andar pelos bosques de faias, notando a pena do galo azulado quando caía, passando pelo pastor e pelo vagabundo, que encarava a mulher agachada ao lado de uma carreta tombada numa vala, agora ando de quarto em quarto com um espanador. Durma, digo, desejando que o sono baixe como um lençol cobrindo este corpo frágil; exigindo que a vida esconda suas unhas e oculte seus relâmpagos, e passe ao longe, e faço com meu próprio corpo uma cavidade, um cálido abrigo para meu filho dormir. Durma, digo, durma. Ou vou até a janela, contemplo o alto ninho da gralha; e a pereira. "Os olhos dele enxergarão quando os meus estiverem cerrados", penso. Com eles sairei do meu corpo e verei a Índia. Ele voltará para casa, trazendo troféus para serem depositados aos meus pés. Ele multiplicará minhas posses.

– Mas nunca me levanto ao amanhecer para ver as gotas roxas nas folhas de couve; ou as gotas rubras nas rosas. Não observo o *setter* farejar em círculo, nem me deito à noite para contemplar as folhas esconderem as estrelas, e as estrelas se moverem enquanto as rochas permanecem imóveis. O açougueiro chama; o leite tem de ser tapado, senão azeda.

– Durma, digo, durma, enquanto a chaleira ferve e sua respiração sai mais e mais densa, emergindo num jato do bico. Assim a vida enche minhas veias. Assim a vida corre pelos meus membros. Assim sou impelida adiante, embora, enquanto me movimento da madrugada ao anoitecer, abrindo e fechando, pudesse gritar: "Basta. Estou saciada de felicidade natural". Contudo, mais e mais filhos virão; mais berços, mais cestos na cozinha e mais presuntos curtindo; e cebolas cintilando; e mais canteiros de alface e batatas. Sou soprada como uma folha pela ventania, ora roçando a relva úmida, ora redemoinhando no ar. Estou saturada de felicidade natural; e por vezes desejo que essa plenitude me abandone e que se erga o peso da casa adormecida, quando nos sentamos a ler, e enfio a linha no buraco da agulha. A lâmpada acende um fogo na vidraça escura. Um fogo arde no coração da hera. Vejo uma rua iluminada nas sempre-vivas. Ouço tráfego na corrida do vento pelo gramado, e vozes quebradas, e risos, e Jinny gritando quando a porta abre: "Venha, venha!".

– Mas nenhum som rompe o silêncio de nossa casa, onde os campos suspiram junto à porta. O vento farfalha nos olmos; uma mariposa bate na lâmpada; uma vaca muge; uma viga põe-se a ranger, e passo a linha pela agulha, e murmuro: "Durma".
– Agora é o momento – disse Jinny. – Agora nos encontramos, estamos juntos. Agora vamos falar, contar histórias uns para os outros. Quem é ele? Quem é ela? Estou infinitamente curiosa e não sei o que acontecerá. Se vocês, a quem encontro pela primeira vez, me dissessem: "A carruagem sai de Piccadilly às quatro", eu não me demoraria jogando objetos numa bolsa, mas viria logo.
– Sentemos aqui debaixo das flores, no sofá diante do quarto. Decoremos nossa árvore de Natal com fatos e mais fatos. As pessoas vão-se tão depressa; vamos segurá-las. Esse homem junto do armário; vocês dizem que ele vive rodeado de potes de porcelana. Quebre um, e terá despedaçado mil libras. Ele amava uma moça em Roma que o abandonou. Daí os potes, velharias encontradas em estalagens ou cavadas nas areias do deserto. E como a beleza tem de ser quebrada diariamente para permanecer bela, e ele é estático, sua vida fica estagnada num mar de porcelana. Mas é estranho, pois um dia, quando moço, ele se sentou no chão úmido bebendo rum com soldados.
– É preciso ser rápido e somar fatos habilmente, como brinquedos numa árvore, prendendo-os com um torcer de dedos. Ele se inclina, como se inclina, até sobre uma azálea. Inclina-se para uma anciã também porque ela usa diamantes nas orelhas e, correndo pela sua propriedade numa carruagem puxada por pôneis, determina quem deve ser ajudado, que árvore será abatida, quem será despedido amanhã. (Devo dizer que vivi minha vida nesses anos, e tenho mais de 30, como uma cabra saltando perigosamente de penhasco em penhasco; não me estabeleço muito tempo em lugar algum; não me ligo a nenhuma pessoa em particular; mas verão que, se eu erguer o braço, alguém aparecerá, aproximando-se de mim.) E aquele homem é um juiz; aquele,

um milionário; aquele de óculos, quando tinha 10 anos de idade, varou com uma flecha o coração de sua governanta. Depois disso, atravessou desertos com mensagens, participou de rebeliões, e agora coleciona material para a história da família de sua mãe, há muito estabelecida em Norfolk. O homenzinho de queixo azulado tem a mão direita mirrada. Por quê? Não sabemos. Aquela mulher, vocês sussurram discretamente, com brincos de pérola pendendo das orelhas como pagodes, foi a pura chama que incendiou a vida de um dos nossos estadistas; agora, desde a morte dele, ela vê fantasmas, lê a sorte, adotou um jovem cor de café a quem chama Messias. Aquele homem de bigodes caídos como um oficial da cavalaria viveu uma vida muito dissoluta (tudo está registrado em alguma biografia), até que um dia, em um trem, encontrou um estranho e este o converteu, entre Edimburgo e Carlisle, lendo a *Bíblia*.

– Assim, em alguns segundos, agilmente, habilmente, deciframos os hieróglifos inscritos nos rostos de outras pessoas. Aqui, nesta sala, há conchas gastas e corroídas na praia. A porta continua a se abrir. O aposento enche-se mais e mais de conhecimento, agonia, muitas espécies de ambição, muita indiferença, algum desespero. Entre nós, vocês dizem, podíamos construir catedrais, ditar a política, condenar homens à morte e administrar vários órgãos do governo. A reserva comum de experiências é muito funda. Temos entre nós bandos de crianças dos dois sexos, que educamos, que visitamos na escola com sarampo e que criamos para herdarem nossas casas. De um modo ou de outro fazemos este dia, esta sexta-feira, alguns indo aos tribunais; outros à cidade; outros ao berçário; outros marchando em filas de quatro. Um milhão de mãos bordam, erguem caixas com tijolos. A atividade é interminável. E amanhã recomeça; amanhã faremos o sábado. Alguns pegarão o trem para a França; outros, o navio para a Índia. Alguns nunca voltarão a esta sala. Um pode morrer esta noite. Outro gerará um filho. De nós brotará toda espécie de construção, política, felicidade, poema, filho, fábrica. A vida chega; a vida se vai; nós fazemos a vida. Assim dizem vocês.

– Mas nós, que vivemos no corpo, vemos com a imaginação do corpo as coisas desenhadas a traço. Vejo rochas ao sol claro. Não posso levar esses fatos para dentro de alguma caverna e, tapando meus olhos, fundir seus amarelos, azuis e cor de ferrugem em uma só substância. Não posso ficar muito tempo sentada. Preciso levantar-me de um salto e partir. A carruagem pode partir para Piccadilly. Solto todos esses fatos – diamantes, mãos mirradas, potes de porcelana e o resto – como um macaco solta nozes de suas mãos peladas. Não posso dizer-lhes se a vida é isto ou aquilo. Vou sair para a multidão heterogênea. Serei golpeada; erguida e baixada entre homens, como um navio no mar.

– Pois agora acena meu corpo, meu companheiro, que está sempre enviando seus sinais, o áspero e negro "Não", o dourado "Entre", em rápidas setas de sensação. Alguém se move. Ergui meu braço? Olhei? Meu lenço amarelo com manchas cor de morango flutuou, emitindo um sinal? Ele se afastou da parede. Vem atrás de mim. Sou perseguida pela floresta. Tudo é êxtase, tudo é noturno, e os pardais seguem gritando através dos ramos. Todos os meus sentidos estão de pé, eretos. Agora sinto a aspereza da fibra da cortina pela qual passo; agora sinto a balaustrada de ferro frio e sua tinta descascada contra a palma de minha mão. Agora a escura maré das trevas derrama suas águas sobre mim. Estamos ao ar livre. A noite se abre; a noite varada por mariposas errantes; a noite ocultando amantes que vagueiam em direção à aventura. Sinto aroma de rosas; sinto aroma de violetas; vejo vermelho e azul escondidos. Agora, há cascalho sob meus pés; agora, relva. Paredes de trás de altas casas erguem-se pesadas de luzes. Londres inteira hesita com lampejos de luz. Agora cantemos nossa canção de amor – Venha, venha, venha. Agora meu sinal dourado é como uma libélula voando retesada. Gorjeio, gorjeio, gorjeio como o rouxinol cuja melodia se acumula na passagem muito estreita da garganta. Agora ouço ramos que se quebram e

cedem, e o embate de galhadas de cervos, como se todos os animais da floresta estivessem caçando, todos se erguendo e tombando entre espinhos. Um deles me penetrou. Um enfiou-se fundo em mim.
– E flores de veludo e folhas cujo frescor vem da água envolvem-me, embalsamando-me.
– Por que – perguntou Neville – olhar o relógio tiquetaqueando sobre a lareira? Sim, o tempo passa. E envelhecemos. Mas sentar-me com você, sozinho com você em Londres, neste quarto iluminado pelo fogo, e você ali, e eu aqui, isto é tudo. O mundo esquadrinhado até os confins, todas as suas montanhas com as flores arrancadas e colhidas, não se sustém mais. Veja a luz do fogo correndo acima e abaixo no fio dourado da cortina. A fruta que ele rodeia enlanguesce pesadamente. A luz cai sobre a ponta da sua bota, dá ao seu rosto uma orla vermelha – penso que é o fogo, não seu rosto; penso que isso são livros contra a parede, e aquilo uma cortina, e aquilo talvez uma poltrona. Mas quando você chega, tudo muda. As xícaras e os pires mudaram quando você entrou esta manhã. Não pode haver dúvida, pensei, afastando o jornal, de que nossas insignificantes vidas, disformes como são, assumem esplendor e significado apenas aos olhos do amor.
– Levantei-me. Terminara meu café da manhã. Depois havia o dia inteiro à nossa frente, e era um belo dia, temo, descomprometido, e passeamos pelo parque até o aterro, e pelo Strand até St. Paul, depois a uma loja onde comprei um guarda-chuva, sempre conversando, parando aqui e ali para olhar. Mas isto pode durar? – perguntei a mim mesmo junto de um leão em Trafalgar Square, esse leão visto uma vez para sempre. Assim revisitei minha vida passada, cena após cena; existe um olmo e ali deita-se Percival. Eternamente, jurei. Depois caí na dúvida costumeira. Agarrei sua mão. Você me abandonou. A descida pelo metrô foi como a morte. Ficamos apartados, desligados por todos aqueles rostos e o vento oco que parecia bramir sobre grandes rochedos ermos. Sentei-me em meu quarto, olhando sem ver. Pelas

cinco, sabia que você me era infiel. Peguei o telefone, e o *bzzz, bzzz, bzzz* de sua voz estúpida no seu quarto vazio desmontava meu coração, quando a porta se abriu e lá estava você. Aquele foi o mais perfeito dos nossos encontros. Mas esses encontros e essas separações acabam por nos destruir.
– Agora este quarto me parece o centro do mundo, algo retirado da noite eterna. Lá fora linhas se retorcem e interseccionam, mas em torno de nós, enroscando-se em nós. Aqui estamos centrados. Aqui podemos calar, ou falar sem erguermos a voz. Dizemos: você notou isto e aquilo? Ele disse aquilo, dando a entender... Ela hesitou, e creio que suspeitava. De qualquer modo ouvi vozes, um soluço na escada, tarde da noite. Este é o fim de nosso relacionamento. Assim tecemos em volta de nós filamentos infinitamente finos, e construímos um sistema. Platão e Shakespeare estão incluídos, e também pessoas bastante obscuras, gente sem nenhuma importância. Odeio homens que usam crucifixos do lado esquerdo de seus coletes. Odeio cerimônias e lamentações, e a triste imagem de Cristo oscilando ao lado de outra imagem triste e oscilante. Também a pompa e a indiferença e a ênfase, sempre no lugar errado, de pessoas que exibem sob candelabros seus trajes de festa, com estrelas e outros ornamentos. Mas um respingo na sebe, ou um pôr do sol sobre um campo liso no inverno, ou a maneira de uma anciã sentar-se num ônibus, com os cotovelos para fora, segurando uma cesta – a estes indicamos para que o outro os veja. Há tamanho alívio em indicar algo para o outro ver. E não dizer nada. Seguir as escuras trilhas da mente, e entrar no passado, para visitar livros, afastar seus ramos e colher alguma fruta. E você a apanha e se maravilha, tal como eu colho os movimentos descuidados de seu corpo e me maravilho, pela sua naturalidade, seu poder – como você abre janelas e é hábil com as mãos. Pois, ai de mim! Minha mente está um pouco embaraçada, logo se cansa; caio na meta de chegada, úmido, talvez repulsivo.
– Ai de mim! Eu não poderia cavalgar na Índia com um capacete e voltar a um bangalô. Não posso cambalear por

um convés, como você faz, feito menininhos seminus esguichando água um no outro com seringas de borracha. Quero este fogo, esta cadeira. Quero alguém para se sentar comigo depois da correria do dia, com toda a sua angústia, depois de tanto escutar, e esperar, e suspeitar. Depois da briga e da reconciliação, preciso de privacidade – para ficar sozinho com você, para pôr em ordem essa confusão. Pois em meus hábitos sou asseado como um gato. Precisamos opor-nos ao desperdício e deformidade do mundo, suas multidões circulando por aí, vomitadas e pisoteadas. É preciso passar espetáculos de maneira suave e exata entre as páginas do romance, amarrar maços de cartas asseadamente com seda verde, e varrer as cinzas com a escova da lareira. Tudo deve ser feito para exprobrar o horror da deformidade. Leiamos autores de severidade e virtude romanas; procuremos a perfeição atravessando as areias. Sim, mas gosto de fazer passar a virtude e a severidade dos nobres romanos debaixo da luz cinzenta dos seus olhos, e relvas dançarinas e brisas estivais e o riso e os gritos de meninos que brincam – os cabineiros de navio, nus, no convés, esguichando uns nos outros a água de seringas de borracha. Por isso não sou um pesquisador desinteressado como Louis, que segue atrás da perfeição nas areias. Cores sempre mancham a página; nuvens passam sobre ela. E, penso, o poema é apenas a sua voz falando. Alcebíades, Ajax, Heitor e Percival também são você. Eles gostavam de cavalgar, arriscavam suas vidas temerariamente, e também não eram grandes leitores. Mas você não é Ajax nem Percival. Eles não franziam o nariz nem coçavam a testa com um gesto preciso. Você é você. É isso que me consola da falta de muitas coisas – sou feio, sou fraco – e da depravação do mundo, e da fuga da juventude, e da morte de Percival, e amargura e rancor, e incontáveis invejas.

– Mas se algum dia você não vier depois do café da manhã, se algum dia avistar você em algum espelho, talvez procurando por outro homem, se o telefone toca e toca em seu quarto vazio, então, depois de indizível agonia, então

– pois não tem fim a loucura do coração humano – procurarei outro, encontrarei outro, você. Nesse meio-tempo, vamos abolir com um sopro o tique-taque dos relógios. Chegue mais perto de mim.

***

Agora o Sol baixara mais no céu. Ilhas de nuvens adensavam-se atravessando-se diante do Sol, de modo que subitamente as nuvens se tornavam negras, e o trêmulo azevém-do-mar perdia seu azul tornando-se prateado, e sombras estendiam-se como panos cinza sobre o mar. As ondas já não visitavam as poças mais distantes nem atingiam a linha preta e salpicada, irregularmente demarcada na praia. A areia era de um branco perolado, macio e lustroso.

Pássaros giravam e desciam no céu. Alguns disparavam nos sulcos do vento e voltavam e atravessavam-nos como se fossem um corpo cortado em mil fatias. Pássaros tombavam como uma rede descendo dos cimos das árvores. Aqui um pássaro solitário voou até o charco, pousando isolado numa estaca branca, abrindo e fechando as asas.

Algumas pétalas haviam caído no jardim. Em forma de conchas, jaziam na terra. A folha morta já não estava equilibrada sobre sua ponta, mas fora soprada, ora correndo, ora parando, contra um caule. Por todas as flores perpassava a mesma onda de luz, num súbito alarde e lampejo, como se uma barbatana cortasse o vidro verde de um lago. Vez por outra uma rajada soprava as inúmeras folhas, erguendo-as e baixando-as, e então, quando o vento tatalava, cada folha recuperava sua identidade. As flores, ardendo em seus discos claros ao sol, lançavam de lado a luz do sol, quando o vento as balançava, e depois algumas corolas, pesadas demais para se erguer novamente, descaíam um pouco.

O sol da tarde aquecia os campos, despejava azul nas sombras e avermelhava o trigo. Um profundo verniz era passado como laca sobre os campos. Uma carreta, um cavalo, um bando de gralhas – o que quer que se movesse ali era banhado em ouro. Se uma vaca mexesse uma perna, provocava ondulações de ouro vermelho, e seus chifres pareciam forrados de luz. Feixes de trigo com cabelos cor de linho jaziam nas sebes, caídos das carretas oscilantes que subiam dos prados, baixas e de aparência primitiva. As nuvens de cabeças redondas não minguavam quando rolavam adiante, mas retinham cada átomo da sua forma. Agora, passando, colhiam no voo de sua rede a aldeia inteira, e, depois de passadas, deixavam--na livre novamente. Longe no horizonte, entre milhões de grãos de poeira azul-cinza, ardia uma vidraça, ou erguia-se a linha isolada de um campanário ou árvore.

As cortinas vermelhas e as persianas brancas sopravam para dentro e para fora, batendo contra a beirada da janela, e a luz que entrava desigualmente nessas batidas e nesse arfar mostravam uma coloração castanha, e certo abandono ao entrar em golfadas pelas cortinas intumescidas. Aqui dava um tom castanho a um armário, ali avermelhava uma cadeira, lá fazia a janela ondular no flanco do jarro verde.

Por um instante tudo ondulou e curvou-se em incerteza e ambiguidade, como se uma imensa mariposa noturna, singrando pelo quarto, tivesse sombreado com asas frementes a enorme solidez de cadeiras e mesas.

* * *

– E o tempo deixa tombar sua gota – disse Bernard. A gota que se formou no telhado da alma despenca. Condensando--se sobre o telhado da minha mente, o tempo deixa tombar sua gota. Na semana passada, quando eu estava me barbeando, a gota caiu. Eu, parado com meu barbeador na mão, subitamente tomei consciência da natureza habitual do meu ato (esta é a gota se formando) e ironicamente congratulei minhas mãos por realizarem isso. Barbear, barbear, disse eu. Sigam barbeando. A gota também. Durante todo o dia de trabalho, em intervalos, minha mente ia a um lugar vazio, dizendo: "O que se perdeu? O que terminou?". E murmurei: "Acabou, acabou", consolando-me com palavras. As pessoas notaram o vazio de meu rosto, e a falta de objetivo de minha conversa. As últimas palavras da minha frase sumiam. E, quando abotoei meu casaco para ir para casa, disse mais dramaticamente: "Perdi minha juventude".

– É tão estranho como, a cada crise, alguma frase que não combina insiste em voltar em nosso socorro – é a desgraça de viver com um caderno de notas em meio a uma civilização.

Essa gota caindo não tem nada a ver com a perda da minha juventude. Essa gota caindo é o tempo afilando-se num ponto. O tempo, que é uma pastagem ensolarada coberta de luz dançarina, o tempo estendido como um campo ao meio--dia, torna-se pendente. O tempo se afila em um ponto. O tempo cai como uma gota cai dos sedimentos no fundo de um cálice. Esses são os verdadeiros ciclos, esses os verdadeiros eventos. Pois, como se toda a luminosidade da atmosfera fosse afastada, vejo o fundo nu. Vejo o que fica coberto pelos hábitos. Deito-me na cama dias a fio, ocioso. Janto fora e abro a boca como um bacalhau. Não me importo em terminar minhas frases, e minhas ações, habitualmente tão incertas, adquirem uma precisão mecânica. Desta vez, passando por uma agência de viagens, entrei e, com toda a serenidade de um ser mecânico, comprei uma passagem para Roma.

– Agora, estou sentado no banco de pedra destes jardins olhando a Cidade Eterna, e o homenzinho que fazia a barba em Londres há cinco dias já parece uma trouxa de roupas velhas. Londres também se esfacelou. Londres é um amontoado de fábricas arruinadas e alguns gasômetros. Ao mesmo tempo, não estou envolvido nesta pompa. Vejo os padres com faixas cor de vinho e as babás pitorescas; noto apenas coisas externas. Sento-me aqui como um convalescente, como um homem muito simples que sabe apenas palavras de uma única sílaba. "O sol está quente", digo. "O vento está frio."* Sinto-me carregado num giro como um inseto pousado no topo da Terra, e poderia jurar que, sentado aqui, sinto sua dureza e seu movimento de rotação. Não tenho desejo de andar em direção oposta à da Terra. Se pudesse prolongar essa sensação por mais seis polegadas, pressinto que poderia tocar algum território estranho. Mas minha tromba é muito curta. Não quero jamais prolongar esses estados de alheamento; não gosto

---

* Em inglês: *The sun is hot* e *The wind is cold*, frases compostas de monossílabos (N. T.).

deles; desprezo-os também. Não quero ser um homem que fica sentado cinquenta anos no mesmo lugar, pensando com seus botões. Quero ser amarrado a uma carreta, uma carreta de legumes que sacoleja por sobre as pedras irregulares do calçamento.

– A verdade é que não sou um desses que encontram sua satisfação em uma pessoa ou no infinito. Meu quarto me entedia, o céu também. Meu ser cintila apenas quando todas as suas facetas estão expostas a muitas pessoas. Se elas falharem, ficarei cheio de buracos, minguando como papel queimado. Ah, digo, sra. Moffat, sra. Moffat, venha e limpe tudo isto. Essas coisas caíram de mim. Gastei certos desejos; perdi amigos, alguns pela morte – Percival –, outros pela mera falta de habilidade para cruzar a rua. Não tenho tantos dons como outrora parecia. Certas coisas estão fora do meu alcance. Nunca entenderei os problemas mais difíceis da filosofia. Roma é o limite de minhas viagens. Quando pego no sono à noite, por vezes me atinge como um golpe o fato de que jamais verei selvagens no Taiti capturarem peixes com lanças à luz da vasilha com brasas, ou um leão saltar na selva, ou um homem nu comer carne crua. Nem aprenderei russo ou lerei os Vedas. Nunca mais me chocarei com uma caixa de correios. (Mas ainda há algumas estrelas caindo na minha noite, lindamente, provindas da violência daquela concussão.) Mas, penso, a verdade se aproximou mais. Por muitos anos recitei complacente: "Meus filhos... minha mulher... minha casa... meu cão". Quando abria minha porta com a chave, eu passava por aquele ritual familiar, e me envolvia em cobertores quentes. Agora, esse adorável véu caiu. Não quero possuir nada. (Nota: uma lavadeira italiana está no mesmo grau de refinamento físico que a filha de um duque inglês.)

– Mas deixem-me pensar. A gota cai; outro estágio foi alcançado. Um estágio depois do outro. E por que haveria um fim dos estágios? E para onde levam? A que conclusão? Pois chegam usando trajes solenes. Nesses dilemas, os devotos consultam os cavalheiros de faixas cor de vinho na cintura e de aparência sensual, que passam em grupos ao meu lado. Mas nós, nós sentimos falta de mestres. Se um homem se ergue e diz: "Veja, esta é a verdade", eu instantaneamente percebo ao fundo um gato cor de areia furtando um peixe. Veja, digo, você se esqueceu do gato. Assim, na escola, na capela penumbrosa, Neville ficava furioso vendo o crucifixo do reitor. Eu, sempre distraído, seja por um gato ou por uma abelha zumbindo em torno do buquê que Lady Hampden mantém tão diligentemente pressionado contra seu nariz, imediatamente invento uma história, e assim oblitero os ângulos do crucifixo. Inventei milhares de histórias; enchi incontáveis cadernos de notas com frases para serem usadas quando eu tivesse encontrado a verdadeira história, aquela história única, aquela à qual todas essas frases se referem. Mas nunca encontrei tal história. E começo a perguntar: haverá histórias?

– Agora, deste terraço, olhem a população aglomerada embaixo. Vejam a atividade e o clamor geral. Aquele homem tem problemas com sua mula. Meia dúzia de vadios bondosos oferecem seus serviços. Outros passam sem um olhar. Têm tantos interesses quanto os fios de uma madeixa. Vejam o fluir do céu, recurvado sobre nuvens redondas e brancas. Imaginem as léguas de terra plana e os aquedutos e o calçamento romano quebrado, e as pedras tumulares da Campagna, o mar, depois mais terra, depois outro mar. Eu poderia destacar qualquer detalhe de toda essa visão – digamos, a carreta com a mula – e descrevê-la com a maior facilidade. Mas por que descrever um homem que tem problemas com sua mula? Mais uma vez, eu poderia inventar histórias sobre aquela moça que sobe os degraus. "Ela o encontrou debaixo de uma arcada sombria... 'Acabou', disse ele, virando-se da gaiola onde está o papagaio de porcelana." Ou simplesmente: "Isto foi tudo". Mas por que impor meu desenho arbitrário? Por que salientar isto e dar forma àquilo e formar figurinhas como os homens de brinquedo vendidos em bandejas na rua? Por que selecionar isto no meio de tudo – um detalhe?

– Aqui estou eu, descascando uma das peles da minha vida, e tudo o que dizem é: "Bernard está passando dez dias em Roma". Aqui estou eu subindo e caminhando por este terraço, sozinho, desorientado. Mas observem como, à medida que caminho, pontos e traços se fundem em linhas continuadas, como as coisas vão perdendo a identidade nua e separada que tinham quando subi estes degraus. O grande pote vermelho agora é uma faixa avermelhada numa onda verde-amarelada. O mundo começa a passar por mim como as beiras de uma sebe quando o trem parte, como ondas do mar envolvidas na sequência geral quando uma coisa segue outra e parece inevitável que uma árvore apareça, depois o poste do telégrafo, depois a fenda na sebe. Quando me movo, rodeado, incluído e participante, as frases habituais começam a borbulhar, e desejo libertar essas bolhas pela porta do alçapão na minha cabeça. Por isso, dirijo meus passos para aquele homem cuja parte de trás da cabeça me é familiar. Estivemos juntos na escola. Sem dúvida nos encontraremos. Certamente almoçaremos juntos. Mas espere, um momento, espere.

– Esses instantes de fuga não devem ser desprezados. São raros demais. Taiti se torna possível. Debruçado nesse parapeito vejo ao longe uma vastidão de água. Uma nadadeira se vira. Essa impressão visual nua está desligada de qualquer racionalização, salta por si quando alguém vê uma barbatana de delfim no horizonte. Muitas vezes impressões visuais transmitem assim rápidas manifestações que no futuro haveremos de desvendar e colocar em palavras. Por isso, anoto no "B": "Barbatana num deserto de águas". Eu, que estou perpetuamente tomando notas na margem da minha mente, para alguma afirmação final, faço esta anotação aguardando uma noite de inverno.

– Agora irei almoçar em qualquer lugar, erguerei meu cálice, olharei através do vinho, observarei com mais do que meu alheamento habitual, e, quando uma bela mulher entrar no restaurante e vier entre as mesas, direi a mim mesmo: "Olhe como ela chega diante do deserto das águas".

Uma observação sem significado, mas, para mim, solene e cor de ardósia, com um som fatal de mundos desmoronando e águas despencando na destruição.

– Assim, Bernard (chamo você de volta, você, companheiro habitual dos meus empreendimentos), comecemos esse novo capítulo, e observemos a criação dessa experiência nova, desconhecida, estranha, totalmente não identificada e aterradora – a nova gota –, que está na iminência de se formar. Aquele homem chama-se Larpent.

– Nesta tarde quente – disse Susan –, aqui, neste jardim, aqui neste campo em que ando com meu filho, atingi o ápice dos meus desejos. Os gonzos do portão estão enferrujados; ele o abre de par em par. As violentas paixões da infância, minhas lágrimas no jardim quando Jinny beijou Louis, minha fúria na sala de aula que cheirava a pinho, minha solidão em lugares estranhos quando as mulas vinham matraqueando seus cascos pontudos e as mulheres italianas tagarelavam na fonte, enroladas em xales, com cravos enfiados no cabelo, foram recompensadas com segurança, posse, familiaridade. Tive anos tranquilos e produtivos. Possuo tudo o que vejo. Vi árvores crescerem da semente que lancei. Fiz tanques em que peixes dourados se ocultam debaixo de lírios e folhas largas. Cobri com redes canteiros de morangos e canteiros de alface, e costurei peras e ameixas em saquinhos brancos para resguardá-las das vespas. Vi meus filhos e filhas, outrora envolvidos em seus casacos como frutos, romperem as malhas e caminharem comigo, mais altos que eu, lançando sombras na relva.

– Estou protegida aqui, estou plantada aqui como uma de minhas próprias árvores. Digo: "Meu filho", digo: "Minha filha", e até o dono da casa de ferragens, erguendo o olhar do seu balcão cheio de pregos, tinta e arame para cercas, respeita o velho carro na porta com suas redes de borboleta, joelheiras e favos de mel. Penduramos visco sobre o relógio no Natal, pesamos nossas amoras e cogumelos, contamos nossos potes de geleia, e ano após ano nos colocamos para sermos medidos diante da janela na sala de estar. Também

faço para os mortos grinaldas de flores brancas entrançadas com plantas de folhas prateadas, anexando meu cartão com tristeza pelo pastor morto, com simpatia pela mulher do carroceiro morto; e sento-me ao lado de camas de mulheres moribundas, que murmuram seus últimos terrores, que agarram minha mão; frequentando aposentos intoleráveis exceto para alguém nascido como eu, e cedo familiarizada com a fazenda e o monte de estrume e as galinhas entrando e saindo, e a mãe com seus dois quartos e filhos crescendo. Tenho visto janelas embaciadas pelo calor, tenho cheirado o esgoto.
— Agora, parada entre minhas flores com minha tesoura, indago: por onde poderia entrar a sombra? Que abalo poderá afrouxar minha vida laboriosamente reunida, inflexivelmente comprimida? Mas por vezes fico nauseada de tanta felicidade natural, e de frutos crescendo e crianças espalhando na casa remos, armas, caveiras de bichos, livros recebidos como prêmio e outros troféus. Fico nauseada do corpo, nauseada da minha própria atividade, industriosa e cheia de artimanhas, da falta de escrúpulos da mãe que protege, que junta debaixo de seus olhos ciumentos numa comprida mesa seus próprios filhos, sempre os seus próprios.
— E quando vem a primavera, com chuvaradas frias e inesperadas flores amarelas – então, enquanto olho a carne debaixo da tampa azul e comprimo os pesados sacos prateados de chá ou passas de uva, lembro-me de como o Sol se levantava e as andorinhas roçavam a relva, e as frases que Bernard construía quando éramos crianças, e as folhas balouçavam sobre nós, múltiplas e levíssimas, quebrando o azul do céu, espalhando luzes erráticas sobre o esqueleto de raízes das faias onde eu me sentava soluçando. O pombo alçava voo. Eu me erguia de um salto e corria atrás das palavras, que sumiam como o fio fremente de um balão erguendo-se mais e mais, escapando de galho em galho. Depois, como um jarro rachado, a fixidez da manhã fendia-se,

e depondo os sacos de farinha eu pensava: "a vida está ao redor de mim como vidro em torno de juncos aprisionados".

– Seguro a tesoura e corto malvas-rosa, eu, que fui a Elvedon e pisei bolotas podres de carvalho, e vi a dama escrevendo e jardineiros com suas vassouras enormes. Corríamos de volta, ofegantes, pois seríamos mortos a tiros e pregados como peles de arminho na parede. Agora, meço e preservo. À noite, sento-me em minha poltrona e estendo a mão para a costura; e ouço meu marido roncar; e ergo os olhos quando a luz de um carro que passa relampeja na vidraça e sinto as ondas da minha vida arremessando-se e quebrando em torno de mim, que estou enraizada; e ouço gritos, e vejo outras vidas girando como palhas ao redor dos pilares de uma ponte enquanto enfio e retiro minha agulha, e passo meu fio de linha pelo tecido.

– Às vezes penso em Percival, que me amou. Ele cavalgou e caiu na Índia. Às vezes penso em Rhoda. Gritos vagos me despertam nas horas mortas da noite. Mas na maior parte do tempo passeio contente com meus filhos. Corto as pétalas mortas das malvas-rosa. Um tanto gorda, grisalha antes do tempo, mas com olhos claros, olhos em formato de pera, atravesso meus campos.

– Estou aqui parada – disse Jinny – na estação do metrô, onde se encontra tudo que é desejável – Piccadilly South Side, Piccadilly North Side, Regent Street e o Haymarket. Por um momento, posto-me debaixo do calçamento, no coração de Londres. Inumeráveis, rodas passam e pés pisam bem em cima da minha cabeça. As grandes avenidas da civilização encontram-se aqui e seguem este caminho ou outro. Estou no coração da vida. Mas, vejam – meu corpo naquele espelho. Que solitário, que mirrado, que envelhecido! Já não sou jovem. Já não faço parte da procissão. Milhões descem aquelas escadas numa terrível avalancha. Grandes rodas batem inexoravelmente, urgindo-os a descer. Milhões morreram. Percival morreu. Eu ainda me movo. Ainda vivo. Mas quem virá, quando eu fizer um aceno?

— Sou um animalzinho, inflando e esvaziando meus flancos de medo, parada aqui, palpitante, trêmula. Mas não quero ter medo. Quero baixar a chibata sobre meus flancos. Não sou um animalzinho lamuriento à procura de abrigo. Foi só por um momento que desanimei, vendo-me antes de ter tempo de me preparar para mim mesma, como sempre me preparo para a visão de mim mesma. É verdade; não sou jovem – logo erguerei em vão meu braço e meu lenço tombará ao meu lado, sem ter feito sinal algum. Não ouvirei o inesperado suspiro na noite, sentindo que na escuridão alguém se aproxima. Não haverá reflexos nas vidraças nem túneis escuros. Olharei nos rostos, e verei que buscam algum outro rosto. Por um momento, admito, o voo silencioso dos corpos eretos escadas abaixo, movendo-se como a descida compacta e terrível de algum exército de mortos, e o baque de grandes máquinas empurrando-nos implacáveis para a frente, a todos nós, para a frente, me acovardou e me fez procurar refúgio.

— Mas agora, fazendo diante do espelho, deliberadamente, esses insignificantes preparativos que me enfeitam, juro que não terei medo. Quero pensar nos soberbos ônibus, vermelhos e amarelos, parando e partindo pontualmente. Pensar nos belos e potentes carros que ora retardam a velocidade, igualando o passo de uma pessoa, ora disparam em frente; pensar em homens, pensar em mulheres, enfeitados, preparados, avançando. Esta é a procissão triunfante; este o exército da vitória, com pendões e águias de bronze, e cabeças coroadas de louros conquistados em combate. São melhores do que selvagens de tanga, e mulheres de cabelo molhado, longos peitos caídos, crianças dando puxões nestes peitos longos. Estas amplas ruas – Piccadilly South, Piccadilly North, Regent Street e o Haymarket – são arenosas veredas de vitória abertas na selva. Também eu, com meus sapatinhos de couro, meu lenço que não passa de uma tênue gaze, meus lábios avermelhados e sobrancelhas finamente traçadas a lápis, marcho com esse grupo para a vitória.

– Vejam como exibem roupas, mesmo aqui embaixo do solo, num perpétuo brilho. Não deixarão que a terra fique cheia de vermes e encharcada. Há gazes e sedas rebrilhando em vitrines e roupas íntimas repassadas de milhões de pontos de fino bordado. Vermelho-vivo, verde, violeta, todas as cores. Pensem em como se organizam, maciamente mergulham em tintas e abrem túneis explodindo rochas. Elevadores erguem-se e baixam; trens param, trens partem com a regularidade das ondas do mar. É isso que merece minha adesão. Sou nativa deste mundo, sigo suas bandeiras. Como poderia procurar abrigo quando são tão magnificamente aventureiros, audaciosos, curiosos, também, e suficientemente fortes no esforço de parar e gravar com a mão livre uma piada na parede? Por isso, quero empoar meu rosto e pintar de vermelho meus lábios. Quero tornar o ângulo da minha sobrancelha mais nítido do que habitualmente é. Quero subir à superfície e ficar imóvel, ereta, junto com os outros, em Piccadilly Circus. Quero chamar com gesto firme um táxi cujo motorista me demonstrará com indescritível alegria que entende meus sinais. Pois ainda desperto cobiça. Ainda percebo as mesuras dos homens na rua como a silenciosa inclinação dos trigais quando o vento sopra leve, conferindo-lhes frêmitos rubros.

– Quero seguir até minha própria casa. Encherei os vasos de uma profusão de flores exuberantes, extravagantes, com grandes hastes inclinadas. Quero instalar uma cadeira aqui, outra ali. Colocarei à mão cigarros, cálices e algum livro novo, ainda não lido, de capa alegre, para o caso de Bernard chegar, ou Neville, ou Louis. Mas talvez não seja Bernard, Neville ou Louis, e, sim, alguém novo, alguém desconhecido, alguém por quem passei numa escadaria e para quem murmurei, mal me virando ao passar: "Venha". Ele virá esta tarde; alguém a quem não conheço, alguém novo. Que o silencioso exército dos mortos desça. Eu marcho em frente.

– Não preciso mais de um quarto novo – disse Neville – ou de paredes e lareira. Já não sou jovem. Passo pela casa de Jinny sem cobiça, e sorrio para o rapaz que arranja sua gravata um pouco nervoso ao pé da escada. Deixe o garboso jovem tocar a campainha; deixe-o encontrá-la. Eu a encontrarei se a desejar; caso contrário, seguirei adiante. A antiga corrosão perdeu sua força – avidez, intriga e amargor me abandonaram. Perdemos também nossa glória. Quando éramos jovens, sentávamo-nos em qualquer lugar, em bancos nus de saguões com ar encanado, portas sempre batendo. Tropeçávamos em menininhos seminus no convés de um navio, esguichando uns nos outros água de seringas de borracha. Agora eu poderia jurar que gosto das pessoas que jorram profusamente do metrô quando o trabalho do dia termina, unânimes, indiscriminadas, inúmeras. Colhi meu próprio fruto. Olho sem paixão.

– Afinal, não somos responsáveis. Não somos juízes. Não somos convocados para torturar nossos camaradas com ferros e instrumentos que lhes esmaguem os polegares; não somos convocados para subir em púlpitos e instruí-los em pálidas tardes de domingo. É melhor ver uma rosa, ou ler Shakespeare como eu lia aqui em Shaftesbury Street. Aqui está o bobo, ali o vilão, ali chega Cleópatra num carro como em esplêndido barco. Ali estão também as figuras dos condenados, homens sem nariz diante da parede do tribunal de polícia, berrando com os pés no fogo. Esta é a poesia quando não a escrevemos. Representam seus papéis sem erro, e quase antes que abram seus lábios sei o que dirão, e aguardo o momento divino em que pronunciarão a palavra que deve ter sido escrita. Se fosse apenas pela peça, eu poderia andar em Shaftesbury Street para sempre.

– Depois, vindo da rua, entrando em alguma sala, há pessoas falando ou quase não se dando ao trabalho de conversar. Ele diz, ela diz, alguém diz coisas ditas tantas vezes que hoje uma palavra só basta para erguer um peso inteiro. Discussão, riso, velhas mágoas – tombam pelo ar, tornando-o denso. Pego um livro e leio meia página de qualquer coisa. Ainda não consertaram o bico do bule de chá. A criança dança vestindo as roupas da mãe.

– Mas então Rhoda, ou talvez Louis, algum espírito dissipado e agoniado, entra e sai novamente. Querem uma trama, não querem? Querem uma justificativa? Esta cena comum não lhes basta. Não é suficiente aguardar que a coisa seja pronunciada como se fosse escrita; ver a frase colocando no lugar certo seu pedacinho de argila, dando-lhe forma; perceber subitamente um grupo delineado contra o céu. Mas, se quiserem violência, tenho visto morte e crime e suicídio, tudo numa sala só. A gente entra e sai. Há soluços na escada. Ouvi fios rompidos e nós atados e o silencioso bordar de alva cambraia avançando e avançando sobre os joelhos de uma mulher. Por que indagar, como Louis, pelo motivo, ou voar como Rhoda para alguma floresta distante, e entreabrir as folhas dos loureiros e procurar estátuas? Dizem que é preciso bater as asas contra a tempestade, na crença de que, para além dessa confusão, brilha o sol; o sol incide direto nos tanques de água emplumados de salgueiros. É novembro aqui; os pobres exibem nas ruas caixas de fósforos em dedos corroídos pelo vento. Dizem que lá a verdade se encontraria inteira, e que a virtude, que aqui anda a passo arrastado por becos sem saída, lá se pode encontrar perfeita. Rhoda passa por nós, voando; pescoço esticado e olhos alucinados. Louis, agora tão opulento, vai à janela do sótão entre telhados arruinados, e olha para o lugar onde ela desapareceu, mas tem de ficar sentado em seu gabinete entre datilógrafas e máquinas de escrever e telefones, e labutar em tudo, para nos instruir, nos regenerar, e reformar um mundo ainda não nascido.

– Mas agora, neste aposento em que entro sem bater, as coisas são ditas como se tivessem sido escritas. Vou até a prateleira. Se escolho, leio meia página de qualquer coisa. Não preciso falar. Mas escuto. Estou maravilhosamente alerta. Certamente não se pode ler sem esforço esse poema. Muitas vezes a página está decomposta e manchada de lama, rasgada e grudada por folhas fanadas, fragmentos de verbena ou gerânio. Para ler esse poema, é preciso ter miríades de olhos, como um daqueles faróis que giram sobre as águas agitadas do Atlântico à meia-noite, quando talvez somente uma réstia de algas marinhas fende a superfície, ou subitamente as ondas se escancaram e delas emerge algum monstro. É preciso pôr de lado antipatias e ciúmes, e não interromper. É preciso ter paciência e infinito cuidado e deixar que também se desdobre o tênue som, seja o das delicadas patas de uma aranha sobre uma folha, seja o da risadinha das águas em alguma insignificante torneira. Nada deve ser rejeitado por medo ou horror. O poeta que escreveu essa página (que leio em meio a pessoas falando) desviou-se. Não há vírgula nem ponto e vírgula. Os versos não seguem a extensão adequada. Muita coisa é puro contrassenso. É preciso ser cético, mas lançar ao vento a prudência e, quando a porta se abrir, aceitar resolutamente. Também, por vezes, chorar; também cortar fora implacavelmente com um talho de lâmina a fuligem, a casca e duras excreções de toda sorte. E assim (enquanto falam) baixar nossa rede mais e mais fundo, e mergulhá-la docemente e trazer à superfície o que ele disse e o que ela disse, e fazer poesia.

– Agora, ouvi o que falam. Agora, se foram. Estou só. Poderia contentar-me em olhar o fogo arder para sempre como uma cúpula, como uma fornalha. Agora, uma haste de lenha assume a aparência de um cadafalso, ou cova, ou vale feliz; agora, é uma serpente vermelho-vivo enrolada com escamas brancas. Na cortina, avoluma-se o fruto sob o bico do papagaio. O fogo crepita, *chhh... chhh... chhh...* como o chiar dos insetos no meio da floresta. *Chhh... chhh...* estala, enquanto lá fora os ramos batem no ar e agora, como uma saraivada de tiros, uma árvore tomba. Estes são os sons de Londres à noite. Depois, ouço o som pelo qual estive esperando. Sobe, e sobe, aproxima-se, hesita, para à minha porta. Chamo: "Entre. Sente ao meu lado. Sente na beira da cadeira". Arrebatado pela antiga alucinação, chamo: "Chegue mais perto, mais perto".

– Estou voltando do escritório – disse Louis. – Penduro meu casaco aqui, coloco ali minha bengala – gosto de imaginar que Richelieu andava com um bastão igual. Assim me dispo de minha autoridade. Estive sentado à direita de um diretor numa mesa envernizada. Os mapas de nossos bem-sucedidos empreendimentos estão na parede diante de nós. Amarramos o mundo com as rotas de nossos navios. O globo está riscado por nossas linhas. Sou imensamente respeitável. Todas as jovens do escritório notam minha entrada. Posso jantar onde quiser agora, e sem vaidade posso supor que em breve comprarei uma casa em Surrey, dois carros, uma estufa de plantas e espécies raras de melões. Mas ainda volto, ainda retorno ao meu sótão, penduro meu chapéu e em solidão retomo a singular tentativa que tenho feito desde que coloquei o punho na porta de áspero carvalho do quarto de meu professor. Abro um livrinho. Leio um poema. Um poema basta.

* * *

Ó, vento oeste...

– Ó, vento oeste, você não combina com minha mesa de mogno, minhas polainas e também, ai de mim, com a vulgaridade da minha amante, a atrizinha que nunca conseguiu falar corretamente inglês...

Ó, vento oeste, quando soprarás...

– Rhoda, com sua intensa abstração, com seus olhos cegos, cor de carne de caracol, não o destrói, vento oeste, quer venha à meia-noite quando as estrelas ardem, quer venha em hora mais prosaica, ao meio-dia. Ela se posta à janela e olha as chaminés e vidraças quebradas nas casas dos pobres...

Ó, vento oeste, quando soprarás...

– Minha tarefa, meu ônus, sempre foi maior do que o de outras pessoas. Colocaram uma pirâmide sobre meus ombros. Tenho tentado executar um trabalho colossal. Tenho dirigido uma equipe violenta, desregrada, corrupta. Com meu sotaque australiano, sentei-me em restaurantes e tentei fazer os funcionários de escritórios me aceitarem, mas nunca esqueci minhas severas convicções e as discrepâncias e incoerências que têm de ser resolvidas. Quando menino, sonhei com o Nilo, relutei em acordar, mas baixei meu punho sobre a áspera porta de carvalho. Maior felicidade teria sido nascer sem destino, como Susan, como Percival, a quem admiro mais do que a todos os outros.

Ó, vento oeste, quando soprarás,
Para que a chuva miúda possa chover?

– A vida tem sido um problema terrível para mim. Sou como uma imensa ventosa, uma boca adesiva e insaciável. Tentei arrancar a pedra alojada no centro da carne viva. Conheci pouca felicidade natural, embora tivesse escolhido uma amante que, com seu sotaque suburbano, me deixasse à vontade. Mas ela apenas encheu o chão do meu quarto com roupa íntima suja, e a arrumadeira e os meninos de recados que me chamam uma dúzia de vezes ao dia zombam de minha maneira de andar, afetada e desdenhosa.

Ó, vento oeste, quando soprarás,
Para que a chuva miúda possa chover?

– O que foi o meu destino, a pirâmide de ponta afilada comprimindo minhas costelas todos esses anos? Recordei o Nilo e mulheres transportando cântaros na cabeça; senti-me empurrado para dentro e para fora de longos verões e invernos, que ondulavam o trigo e congelavam as torrentes. Não sou um ser isolado e efêmero. Minha vida não é a clara centelha de um momento, como a superfície de um diamante. Penetro tortuosamente sob a terra, como uma sentinela carregando de cela em cela uma lamparina acesa. Meu destino foi recordar e tramar, e trançar numa só meada esses muitos fios, o fino e o grosso, o rompido, a duração de nossa longa história, de nosso dia vário e tumultuado. Há sempre mais a ser compreendido; uma dissonância a ser ouvida; uma falsidade a censurar. São quebrados e fuliginosos estes telhados com suas chaminés, as telhas de ardósia soltas, gatos furtivos e janelas de sótãos. Forço meu caminho sobre vidro estilhaçado e ladrilhos rachados, e vejo apenas rostos depravados e esfomeados.

– Suponhamos que eu elabore uma explicação para tudo isso – um poema de uma página – e depois morra. Posso assegurar que não irei relutante. Percival morreu. Rhoda abandonou-me. Mas tenho de viver para me tornar sombrio e insensível, para caminhar pelas calçadas da cidade, respeitado com minha bengala de castão de ouro. Talvez eu nunca morra, e não obtenha nem mesmo essa continuidade e permanência...

Ó, vento oeste, quando soprarás,
Para que a chuva miúda possa chover?

– Percival floresceu em folhas verdes e puseram-no na terra com todos os seus ramos ainda suspirando ao vento estival. Rhoda, com quem partilhei silêncio enquanto outros falavam, ela, que recuava e se afastava de lado quando o rebanho se reunia, e galopava com dorso apaziguado e lustroso por ricas pastagens, hoje foi-se como o calor do deserto. Quando o sol descasca os telhados da cidade, penso nela; quando as folhas secas farfalham no chão; quando os velhos chegam com bastões apontados e trespassam pedacinhos de papel como nós a trespassávamos...

Ó, vento oeste, quando soprarás,
Para que a chuva miúda possa chover?
Cristo, se meu amor estivesse em meus braços,
E eu novamente em minha cama!

Retorno ao meu livro; retorno, agora, ao meu empreendimento.

– Ah, vida, como te receei – disse Rhoda –, ah, criaturas humanas, como as odiei! Como me importunaram, como me interromperam, de que horrenda maneira apareciam em Oxford Street, como eram esquálidas, sentadas no metrô, uma diante das outras, olhos fixos! Agora, enquanto escalo esta montanha, do cimo da qual verei a África, estão gravados em minha mente embrulhos de papel pardo e os rostos de vocês. Seu contato me deixou manchada, corrompida. E cheiravam tão mal, enfileirados nas ruas para comprar passagens. Todos vestidos em indefinidas tonalidades de cinza e castanho, sem ao menos uma pluma azul presa num chapéu. Ninguém tinha coragem de ser uma coisa ou outra. Que dissolução da alma exigiam para conseguirem transpor um dia, que mentiras, que mesuras, que lixo, que concessões, que servilismo! Como me acorrentaram a um lugar, uma hora, uma cadeira, sentando-se bem à minha frente! Como roubaram de mim os espaços brancos que há entre uma hora e outra, enrolando-os em migalhas sujas, e jogando-os no cesto de papel, com suas patas gordurentas. Mas aquilo era a minha vida.

– E ainda assim eu consentia. Minha mão tapava risinhos de escárnio e bocejos. Eu não ia à rua quebrar uma garrafa na sarjeta como sinal de indignação. Tremendo de raiva, fingi não estar surpresa. Fiz tudo o que vocês faziam. Se Susan e Jinny puxavam para cima suas meias desse jeito, eu puxava as minhas do mesmo jeito. A vida era tão terrível que eu colocava à minha frente um biombo depois do outro. Olhar a vida através disso, olhar a vida através daquilo; deixar que existam pétalas de rosas, que existam folhas de videira – eu cobria toda a rua, Oxford Street, Piccadilly Circus, com o fervor e o frêmito da minha mente, com folhas de videira e pétalas de rosas. Havia também malas no corredor, quando as aulas terminavam. Eu passava furtivamente para ler os rótulos, e sonhar com nomes e rostos. Harrogate, ou talvez Edimburgo, nomes emplumados com dourado esplendor lá onde alguma moça cujo nome esqueci, parava na calçada. Mas apenas o nome. Deixei Louis; eu tinha medo de abraços. Tentei cobrir a lâmina azul-negro com cabelos tosquiados, com vestimentas. Implorei ao dia que se transformasse em noite. Ansiei por ver o armário definhar, sentir a cama amaciar-se e flutuar suspensa, percebendo árvores alongadas, rostos alongados, um banco verde no pântano e dois vultos angustiados dizendo adeus. Joguei palavras em leques como os grãos que o semeador lança sobre os campos quando a terra está nua. Sempre desejei ampliar a noite e enchê-la mais e mais de sonhos.

– Depois, em alguma sala de concerto, separei os ramos da música e espiei a casa que tínhamos feito; o quadrado posto em cima do retângulo. "A casa que contém todas as coisas", disse eu, balouçando num ônibus contra os ombros de outras pessoas, depois que Percival morreu; mas fui a Greenwich. Caminhando sobre o aterro, rezei para que pudesse ressoar eternamente nos limites do mundo, onde não há vegetação, mas, aqui e ali, um pilar de mármore. Lancei meu buquê de flores na onda que se espraiava e disse: "Consome-me, carregue-me até o limite mais distante". A onda quebrou-se; o ramo feneceu. Agora, raramente penso em Percival.

– Agora, escalo esta colina espanhola; vou imaginar que este lombo de mula é minha cama e que estou deitada nela, morrendo. Há apenas um fino lenço entre mim e as infinitas profundezas. As saliências do colchão amaciam-se sob mim. Seguimos aos tropeções – para cima, para a frente. Meu caminho foi sempre para cima, em direção a alguma árvore solitária com um tanque de água ao lado, bem no alto. Dividi as águas da beleza à noite, quando as colinas se fecham, como pássaros de asas dobradas. Apanhei vez ou outra um cravo vermelho, e punhados de feno. Desabei sozinha na turfa e revolvi entre os dedos algum osso antigo, e pensei: quando o vento baixar para roçar estas alturas, talvez não encontre mais que uma pitada de pó.

– A mula segue para cima e para a frente, aos tropeções. O topo da colina alteia-se como nevoeiros, mas do alto verei a África. Agora o leito cede sob mim. Os lençóis com orifícios amarelos deixam-me passar. A mulher bondosa com resto de cavalo branco ao pé da cama faz um gesto de despedida e vira-se para partir. Quem então irá comigo? Apenas flores, cabaceiros e a flor do espinheiro, cor de lua. Juntando-as frouxamente num ramo faço uma guirlanda e dou-as – ah, a quem? Agora, lançamo-nos sobre o precipício. Abaixo de nós, as luzes da frota de pescadores de arenque. Os recifes desaparecem. Em estreitos frêmitos, frêmitos cinzentos, incontáveis ondas espalham-se embaixo. Não toco nada. Não vejo nada. Podemos baixar e nos aninharmos nas ondas. O mar há de rufar ao meu ouvido. As pétalas alvas serão escurecidas pela água do mar. Flutuarão por um momento, depois afundarão. Empurrando-me, as ondas me sustentarão nos ombros. Tudo desaba numa poderosa torrente, dissolvendo-me.

– Mas aquela árvore tinha ramos eriçados; aquilo é o contorno hirto de um telhado. Aqueles balões pintados de vermelho e amarelo são rostos. Colocando meu pé no chão, caminho cautelosa e comprimo com a mão a dura porta da taverna.

***

O Sol baixava. A rija pedra do dia fendera-se, e a luz se derramava pelas fissuras. Vermelho e ouro saltavam pelas ondas em rápidas setas, com plumas de escuridão. Raios errantes de luz lampejavam e prosseguiam como sinais de ilhas afundadas ou dardos disparados em florestas de louro por meninos despudorados e risonhos. Mas as ondas, aproximando-se da praia, vestiam-se de luz, e desabavam numa prolongada concussão, como um muro ruindo, um muro de pedra cinzenta, sem uma única fresta de luz.

Uma brisa ergueu-se; um arrepio percorreu as folhas; e, assim remexidas, perderam sua densidade castanha, tornando-se cinzentas ou alvas quando a árvore moveu sua massa, acenou e perdeu sua forma de ogiva. O falcão pousado no ramo mais alto bateu suas pálpebras, ergueu-se e singrou o ar, e voou para bem longe. A tarambola silvestre gritou nos charcos, evadindo-se, girando, gritando mais longe, solitária. A fumaça de trens e chaminés foi esticada e rompida, e tornou-se parte do lanoso dossel que pendia sobre o mar e os campos.

Agora o trigo estava cortado. Apenas alegres tocos sobravam de todo aquele frêmito e fluxo. Lentamente, uma grande coruja lançou-se do olmo, girou e ergueu-se para as alturas do cedro como se estivesse presa a um fio que balançasse. As sombras lentas ora se alargavam nas colinas, ora se encolhiam depois de passar. A poça de água no alto do pântano jazia límpida. Nenhum rosto borrado espiava ali, nenhum casco chapinhava, nenhum focinho quente agitava as águas. Pousado num graveto cor de cinza, um pássaro encheu o bico de água fria. Nenhum ruído de gente ceifando, nem de rodas, apenas o súbito bramido do vento enchendo suas velas e roçando a franja dos talos de grama. Um osso jazia, lavado de chuva e esbranquiçado de sol, até brilhar como um graveto que o mar bruniu. A árvore que ardera num vermelho-castanho durante a primavera, e no verão curvara suas folhas dóceis ao vento sul, agora estava preta como ferro, e igualmente nua.

A terra ficava tão distante que não se viam mais nenhum telhado lustroso ou vidraça relampejante. O tremendo peso da terra ensombreada engolira tão frágeis grilhões, obstáculos delicados como conchas de caracóis. Agora havia apenas a sombra líquida da nuvem, o ruído da chuva, um raio isolado de sol dardejando, ou o súbito golpe da tempestade. Árvores solitárias demarcavam, como obeliscos, as colinas distantes.

O sol da tarde, cujo calor se fora e cujo ponto de intenso ardor se tornara difuso, deixava cadeiras e mesas menos nítidas, e incrustava-as com losangos castanhos e amarelos. Estriadas de sombras, seu peso parecia menor, como se a cor tivesse escorrido para um só lado, oblíqua. Ali estavam faca, garfo e cálice, mas alongados, intumescidos, portentosos. Com uma moldura de ouro, o espelho redondo retinha aquela cena em seu olho, como se ela fosse perdurar eternamente.

Enquanto isso, as sombras se alongavam na praia; o negror tornava-se mais profundo. O sapato velho, de um negro cor de ferro, tornava-se uma poça de profundo azul. As rochas perderam sua dureza. A água em torno do velho barco estava escura como se alguém tivesse metido mexilhões dentro dela. A espuma tornara-se lívida, e largava aqui e ali nas areias nevoentas um alvo cintilar de pérola.

***

— Hampton Court — disse Bernard —, Hampton Court. Este é nosso ponto de encontro. Vejam as chaminés vermelhas, as ameias retangulares de Hampton Court. O som de minha voz quando digo "Hampton Court" prova que sou de meia-idade. Há dez, quinze anos, eu teria dito "Hampton Court?" com tom de interrogação: como será? Haverá lagos, labirintos? Ou fazendo suposições: "O que vai acontecer comigo lá? A quem encontrarei?". Agora, "Hampton Court, Hampton Court" – as palavras fazem soar um gongo no espaço que abri tão laboriosamente com meia dúzia de telefonemas e cartões-postais, emitem som e mais som, retumbantes, sonoras: e imagens se erguem – tardes de verão, barcos, velhas damas arrepanhando as saias, uma urna no inverno, alguns narcisos silvestres em março – tudo isso flutua até a flor das águas que agora jazem, profundas, sobre cada imagem.

— Eles já estão parados aqui, à porta da taverna, nosso ponto de encontro – Susan, Louis, Rhoda, Jinny e Neville. Já se reuniram. Dentro de um instante, quando eu estiver com eles, será formada outra disposição, outro desenho. O que agora se esbanja em cenas profusas será controlado, fixado. Reluto em sofrer tal compulsão. A 50 jardas de distância, já sinto mudar-se a ordem do meu ser. A atração de ímã desse grupo age sobre mim. Aproximo-me. Não me veem. Agora, Rhoda me avista, mas, com seu horror ao choque de um encontro, finge que sou um estranho. Agora, Neville se vira. Subitamente, levantando a mão, exclamo cumprimentando Neville: "Também comprimi flores entre as páginas dos sonetos de Shakespeare", e sou erguido num impulso. Meu barquinho oscila inseguro sobre as ondas encapeladas e agitadas. Não há remédio (deixe-me anotar isso) contra o choque do encontro.

— E é desconfortável também juntar beiradas angulosas, ásperas; só gradualmente, quando entramos na taverna, arrastando os pés e tropeçando, tirando casacos e chapéus, o encontro vai-se tornando agradável. Agora nos reunimos na longa e despida sala de jantar que dá para um parque, um espaço verde ainda fantasticamente iluminado pelo Sol que se vai pondo, de modo que há uma faixa de ouro entre as árvores, e nos sentamos.

– Sentados agora lado a lado, nesta mesa estreita – disse Neville –, agora, antes da primeira emoção abrandar-se, o que estamos sentindo? Honestamente, agora, aberta e diretamente como convém a velhos amigos encontrando-se com dificuldade, o que sentimos neste encontro? Melancolia. A porta não se abrirá; ele não há de vir. E sentimo-nos onerados. Sendo agora todos de meia-idade, suportamos cargas. Vamos retirá-las. O que fizeram de sua vida, perguntamos, e eu? Você, Bernard, você, Susan; você, Jinny; e Rhoda e Louis? As listas foram afixadas nas portas. Antes de partirmos esses pãezinhos e nos servirmos de peixe e salada, apalpo meu bolso interno e encontro minhas credenciais – trago comigo para provar minha superioridade. Fui aprovado. Tenho no bolso interno papéis que provam isso. Mas seus olhos, Susan, repletos de nabos e trigais, me perturbam. Esses papéis no meu bolso interno – emitem um som tênue como o de um homem batendo palmas num campo vazio, deserto, para afugentar as gralhas. Agora o som se esvaiu, ao olhar fixo de Susan (as palmas, a reverberação que provoquei), e ouço apenas o vento varrendo a terra arada, e algum pássaro cantando – talvez uma cotovia intoxicada. Será que o garçom já ouviu falar em mim, ou esses casais furtivos e eternos, ora passeando sem destino, ora parando e olhando as árvores, ainda não suficientemente escuras para ocultarem seus corpos prostrados? Não; o som das palmas falhou.

– O que então permanece quando não posso tirar meus papéis e, lendo alto minhas credenciais, fazer com que acreditem que fui aprovado? O que permanece é o que Susan traz à luz debaixo do verde ácido de seus olhos, esses olhos de cristal em forma de pera. Há sempre alguém, quando nos reunimos, que se recusa a ser submergido; cuja identidade por isso mesmo desejamos abater sob a nossa própria. Para mim, agora, é Susan. Falo para impressionar Susan. Ouça-me, Susan.

– Quando alguém que amo entra na hora do café da manhã, até a fruta bordada na minha cortina se infla tanto que os papagaios a podem bicar; podemos abri-la entre o polegar e o indicador. O fino e espumante leite do começo da manhã torna-se opalino, azul, rosado. A essa hora, seu marido – o homem que bateu em suas perneiras, apontando com o chicote para a vaca estéril –, esse homem, resmunga qualquer coisa. Você não diz nada. Não vê nada. O hábito cega seus olhos. A essa hora seu relacionamento é mudo, nulo, pardacento. O meu, a essa hora, é cálido e variado. Não há repetições para mim. Todos os dias são perigosos. Suaves na superfície, por baixo somos todos ossos, como serpentes coleantes. Suponha que leiamos o *Times*; suponha que discutamos. Já é uma experiência. Suponha que seja inverno. A neve caindo deposita sua carga no telhado e nos tranca juntos numa caverna rubra. Os canos estouraram. Colocamos uma banheira de folha de flandres no meio do quarto. Corremos confusamente, procurando bacias. Olhe só – derramou mais uma vez sobre a prateleira de livros. Gritávamos de tanto rir diante do estrago. Deixe a solidez ser destruída. Não tenhamos posses. Ou será verão? Podemos passear até um lago e contemplar gansos chineses bamboleando de pés chatos até a beira da água, ou contemplar uma igreja da cidade que parece feita de ossos, com árvores jovens tremulando em frente. (Escolho ao acaso; escolho o que é óbvio.) Cada visão é um arabesco traçado de súbito para ilustrar um capricho ou a maravilha de um momento de intimidade. A neve, o cano estourado, a banheira de folha de flandres, os gansos chineses – são sinais lançados ao alto, onde, olhando para trás, leio a característica de cada amor; como cada um era diferente.

– Entrementes, você – pois quero reduzir sua hostilidade, seus verdes olhos fixos nos meus, seu vestido desbotado, suas mãos ásperas e todos os demais emblemas do seu esplendor maternal – esteve agarrada como um marisco ao mesmo rochedo. Mas é verdade, não a quero ferir; apenas renovar e restaurar minha fé em mim mesmo, que falhou quando você entrava. Não posso mais mudar. Estamos comprometidos. Antes, quando nos encontrávamos com Percival em um restaurante de Londres, tudo era efervescência e agitação; podíamos ter sido qualquer coisa. Agora, escolhemos, ou por vezes parece que fizeram a escolha por nós – um par de tenazes nos beliscou entre os ombros. Escolhi. Interpretei a marca da vida, não de fora, mas por dentro, nas ásperas e desprotegidas fibras. Estou anuviado e ferido pela marca de mentes e rostos e coisas sutis que têm aroma, cor, textura, substância, mas não têm nome. Sou apenas "Neville" para vocês que enxergam os estreitos limites da minha vida e a linha que ela não pode ultrapassar. Mas, para mim mesmo, sou imensurável; uma rede cujas fibras passam imperceptíveis debaixo do mundo. Minha rede quase não se distingue daquilo que ela envolve. Ergue baleias – imensos leviatãs e alvas medusas, tudo o que é amorfo e errante; detecto, percebo. Diante de meus olhos abre-se – um livro; olho o fundo; o coração – vejo as profundezas. Sei que amores fremem em fogo; ciúme dispara seus lampejos verdes aqui e ali; como o amor atravessa intrincadamente o amor, o amor faz os nós; o amor desmancha-os brutalmente outra vez. Tenho sido atado; tenho sido dilacerado.

– Mas, certa vez, quando olhávamos para ver a porta abrir e Percival entrar, havia outro êxtase; quando nos precipitamos, soltos, num banco duro, numa sala pública.

– Havia um bosque de faias – disse Susan –, Elvedon, e os dourados ponteiros do relógio cintilando entre as árvores. Os pombos rompiam as folhagens. As mutantes luzes peregrinas passavam sobre mim. Escapavam de mim. Mas, veja, Neville, você a quem desminto a fim de ser eu mesma, veja minha mão na mesa. Veja as gradações de coloração saudável aqui nas juntas, aqui na palma. Meu corpo foi usado diariamente, corretamente, como um prego é usado por um bom operário. A lâmina está limpa, afiada, gasta no centro. (Batalhamos juntos como animais lutando no campo, cervos entrechocando suas galhadas.) Vistas através de sua carne pálida e submissa, até maçãs e pencas de frutos devem ter aparência nevoenta, como debaixo de um vidro. Deitado no fundo de uma poltrona, com uma pessoa, uma pessoa apenas, mas uma pessoa que se transforma, você não vê senão uma polegada de carne, seus nervos, fibras, o fluxo lento ou rápido do sangue; nada que seja inteiro. Você não vê uma casa num jardim; um cavalo num campo; uma cidade espraiada como quando você se curva feito uma anciã forçando os olhos sobre o que cirze. Mas eu tenho visto a vida em blocos substanciais, imensos; suas ameias e torres, fábricas e gasômetros; um abrigo construído há tempos imemoriais segundo um modelo hereditário. Essas coisas permanecem quadradas, proeminentes, indissolvidas em minha mente. Não sou sinuosa nem suave; sento-me entre vocês esfolando sua maciez com minha dureza, esmagando com o esguicho verde de meus olhos claros o tremular das palavras, asas de mariposa cinza-prata, palpitantes.

– Agora entrechocamos nossas galhadas. Este é o prelúdio necessário; a saudação de velhos amigos.

– O ouro desvaneceu-se entre as árvores – disse Rhoda –, e uma fatia de verde jaz por trás delas, alongada como a lâmina de uma faca vista em sonhos, ou algum cone de ilha onde ninguém ainda pisou. Agora, os carros começam a brilhar e vibrar descendo a avenida. Amantes podem correr para a escuridão agora; os troncos das árvores estão inflados, obscenos, de amantes.

– Outrora era diferente – disse Bernard. – Podíamos interromper o fluxo conforme desejássemos. Quantos telefonemas, quantos cartões-postais são precisos para abrir esse orifício através do qual nos reunimos em Hampton Court? Como flui depressa a vida de janeiro a dezembro! Todos somos carregados pela torrente de coisas que se tornaram familiares a ponto de já não lançarem sombras; não fazemos comparações; raramente pensamos no eu ou no você; e nessa inconsciência tornamo-nos livres de qualquer atrito, e afastamos as heras que tapam a boca de canais submersos. Temos de saltar alto, como peixes, a fim de apanharmos o trem de Waterloo. E não importa a altura do nosso salto, cairemos de volta na torrente. Não tomarei mais aquele trem para as ilhas dos mares do Sul. Uma viagem a Roma é o limite de minhas jornadas. Tenho filhos e filhas. Estou preso ao lugar que ocupo neste quebra-cabeça.

– Mas é apenas meu corpo – este homem aqui, idoso, que vocês chamam Bernard – irrevogavelmente fixo, assim quero acreditar. Penso mais desinteressadamente do que podia quando era jovem e precisava cavar furiosamente para descobrir a mim mesmo, como uma criança revirando um pastelão. "Veja, o que é isso? E isso? E isso será um bom presente? É só isso?" E assim por diante. Agora sei o que contêm os embrulhos; e não me interessam muito. Lanço pelos ares minha mente como um homem lança sementes em grandes leques de claridade, caindo pelo crepúsculo arroxeado, caindo sobre a terra arada, prensada e lustrosa e nua.

– Uma frase. Uma frase imperfeita. E o que são frases? Deixaram-me muito pouca coisa para colocar na mesa, junto da mão de Susan; para tirar do meu bolso, como as credenciais de Neville. Não sou autoridade em Medicina, nem em leis, ou finanças. Estou todo envolvido por frases, como palha úmida; rebrilho, fosforescente. E cada um de vocês sente, enquanto falo: "Estou iluminado. Estou brilhante". Os menininhos costumavam sentir, "Essa é boa, essa é boa", quando as frases borbulhavam de meus lábios sob os olmos no campo de jogos. Também eles borbulhavam; também eles se evadiam com minhas frases. Mas agora definho em solidão. Solidão é o meu aniquilamento.

– Passo de casa em casa como os frades da Idade Média, que distraíam viúvas e donzelas com rosários e baladas, sou um peregrino, um mascate pagando minha hospedagem com uma balada; sou um hóspede indiscriminado e fácil de agradar; muitas vezes alojado no melhor quarto numa cama

com colunas; outras vezes, deitado num celeiro, sobre um saco de feno. Não me importo com as pulgas nem encontro defeitos na seda. Sou muito tolerante. Não sou moralista. Tenho demasiado senso da brevidade da vida e de suas tentações, para fazer marcas com um lápis vermelho.
– Mas não sou tão ingênuo como pensam, julgando-me – pois me julgam – segundo minha fluência. Trago escondido em minha manga um pequeno punhal de desprezo e severidade. Mas sou flexível. Faço histórias. Crio brinquedos a partir do nada. Uma jovem senta-se na porta de uma casa; espera; por quem? Seduzida ou não seduzida? O reitor vê o buraco no tapete. Suspira. Sua mulher, passando os dedos pelas ondas do cabelo ainda abundante, reflete – etc. Acenos de mãos, hesitações em esquinas, alguém que deixa cair um cigarro na sarjeta – tudo são histórias. Mas qual a história verdadeira? Não sei. Consequentemente mantenho minhas frases pendentes como roupas num armário, aguardando que alguém as use. Esperando, especulando, tomando esta nota e depois outra, não me agarro à vida. Serei varrido como uma abelha de um girassol. Minha filosofia, sempre acumulativa, brota de momento a momento, corre como mercúrio por uma dúzia de caminhos simultaneamente. Mas Louis, de olhos selvagens porém severos, em seu sótão, em seu escritório, tirou conclusões inalteráveis sobre a verdadeira natureza do que deve ser conhecido.
– Isto rompe o fio que estou tentando tramar – disse Louis –; seu riso o rompe, sua indiferença, também sua beleza. Jinny rompeu o fio quando me beijou no jardim, anos atrás. Os menininhos presunçosos da escola zombavam de mim pelo meu sotaque australiano, e romperam o fio. "Este é o significado", digo; e depois começa uma súbita angústia – vaidade. "Ouçam", digo, "ouçam o rouxinol que canta no meio dos pés em tropel; conquistas e migrações. Acreditem" – e então sou apartado. Abro meu caminho sobre ladrilhos quebrados e cacos de vidro. Diferentes luzes caem, deixando manchado e estranho o leopardo comum. Este momento de reconciliação, quando nos encontramos unidos, este

momento noturno, com seu vinho e folhas balouçantes, e os jovens vindos do rio em roupas de flanela branca, carregando almofadas, para mim está escurecido pelas sombras das masmorras e torturas e infâmias praticadas contra o homem pelo homem. Tão imperfeitos são meus sentidos que nunca obscurecem com uma nódoa de esplendor as graves acusações que minha razão acumula em nosso desfavor, mesmo agora quando estamos aqui sentados. Qual a solução, indago de mim mesmo, e a ponte? Como reduzir essas visões dançarinas e deslumbrantes a uma linha capaz de unir tudo?

É nisso que reflito; enquanto isso, vocês observam maliciosamente meus lábios repuxados, minhas faces encovadas e minha sobrancelha invariavelmente franzida.

– Mas também imploro que notem minha bengala e meu colete. Herdei uma escrivaninha de sólido mogno num aposento cheio de mapas nas paredes. Nossos navios conseguiram considerável reputação por causa de suas cabines luxuosas. Fornecemos suprimentos para piscinas e ginásios de esporte. Uso colete branco agora, e antes de assumir um compromisso consulto um caderninho.

– Esta é a maneira astuta e irônica como espero desviar a atenção de vocês de minha alma trêmula, minha alma terna e infinitamente jovem e desprotegida. Pois sou sempre o mais moço; o que se surpreende mais ingenuamente; aquele que corre à frente apreensivo, simpatizando com o desconforto ou o ridículo – caso haja uma mancha num nariz ou um botão aberto. Sofro com todas as humilhações. Mas, também, sou insensível e marmóreo. Não vejo como podem dizer que é uma felicidade ter vivido. Suas pequenas excitações, seus arrebatamentos infantis, quando uma chaleira ferve, quando o ar macio ergue o lenço pontilhado de Jinny e ele flutua como uma teia de aranha, são para mim fitas de prata lançadas sobre os olhos de um touro que ataca. Condeno vocês. Mas meu coração anseia por vocês. Com vocês, eu atravessaria as fogueiras da morte. E ainda assim sou mais feliz sozinho. Ostento o luxo de vestimentas douradas e roxas. E ainda assim prefiro a paisagem sobre chaminés; gatos esqueléticos se esfregando em chaminés descascadas; janelas quebradas; e o clangor rouco de sinos no campanário de alguma capela de tijolos.

– Vejo o que está diante de mim – disse Jinny. – Este lenço, estas manchas cor de vinho. Este cálice. Este pote de mostarda. Esta flor. Gosto do que se toca, do que se saboreia. Gosto da chuva quando se transforma em neve e se torna palpável. E, sendo arrojada, e muito mais corajosa que vocês, não equilibro minha beleza com vulgaridade, para que não me queime. Engulo-a inteira. É feita de carne; é feita de substância. Minha imaginação é a do corpo. Suas visões não são finamente tecidas e de alva pureza como as de Louis. Não gosto de seus gatos magros e suas chaminés descascadas. A beleza decadente dos seus telhados me causa repulsa. Encantam-me homens e mulheres de uniforme, perucas e becas, chapéus-coco e camisetas de tênis lindamente abertas no pescoço, a infinita variedade dos vestidos das mulheres (sempre observo todas as roupas). Circulo com eles, entrando e saindo, entrando e saindo em salas, saguões, aqui, ali, por toda a parte, para onde quer que sigam. Este homem ergue a pata de um cavalo. Aquele homem abre e fecha as gavetas da sua coleção de desenhos. Nunca estou só. Um regimento de camaradas me assiste. Minha mãe deve ter seguido o tambor, meu pai o mar. Sou como um cãozinho que trota pela estrada atrás da banda do regimento, mas para cheirar um tronco de árvore, farejar alguma mancha castanha, e subitamente dispara através da rua atrás de algum vira-lata, e ergue uma pata enquanto cheira um bafo de carne do açougue. Meus negócios me levaram a estranhos lugares. Homens, quantos deles, afastaram-se da parede e vieram em minha direção. Basta que eu erga a mão. E vieram, retos como um dardo, para o lugar de encontro – talvez uma cadeira num terraço, talvez uma loja numa esquina. Os tormentos, as divisões de nossas vidas foram resolvidos para mim noite após noite, por vezes simplesmente ao toque de um dedo por baixo da toalha de mesa enquanto estávamos sentados jantando – meu corpo tornou-se tão fluido, que até

ao toque de um dedo ele forma uma gota plena, que enche a si mesma, freme, lampeja e tomba em êxtase.
— Sentei-me diante de um espelho como vocês se sentam escrevendo, somando algarismos em escrivaninhas. Assim, diante do espelho no templo do meu quarto, avaliei meu nariz e meu queixo; meus lábios que se abrem demasiadamente e mostram gengivas em excesso. Olhei. Anotei. Escolhi o amarelo ou o branco, a luz ou a sombra, o gesto ou a imobilidade que melhor servem. Sou volátil para um, rígida para outro, angulosa como uma estalactite de prata, ou voluptuosa como a chama de ouro de uma vela. Corri violentamente como um chicote estalado, até a ponta extrema da correia que me segura. O peito da camisa dele era branco, ali na esquina; depois roxo; fumaça e labareda nos envolveram; depois de uma furiosa conflagração — ainda assim quase não erguíamos nossas vozes, sentados no tapete defronte à lareira, murmurando todos os segredos de nossos corações como dentro de conchas para que ninguém os ouvisse no dormitório, embora uma vez eu tenha ouvido o cozinheiro mover-se, e uma vez pensamos que o tiquetaquear do relógio fosse uma pisada — desfizemo-nos em cinzas, não deixando relíquias, nenhum osso não queimado, nenhuma madeixa de cabelo para ser guardada em medalhões, daqueles que as amizades íntimas deixam para vocês quando se vão. Ora sou acinzentada; ora sou descarnada; mas olho meu rosto ao meio-dia, sentada diante do espelho em plena luz, e percebo com exatidão meu nariz, meu queixo, meus lábios que se abrem demasiadamente e mostram gengivas em excesso. Mas não tenho medo.
— No caminho da estação, havia postes de luz — disse Rhoda — e árvores que ainda não tinham largado suas folhas. As folhas ainda poderiam ter-me escondido. Mas não me escondi atrás delas. Andei ereta na direção de vocês, em vez de fazer um desvio para evitar o choque da sensação, como costumava fazer. Mas era apenas porque ensinei meu corpo a executar esse truque. Interiormente não aprendi nada, temo, odeio, amo, invejo e os desprezo, nunca me reúno a

vocês com alegria. Vindo da estação, recusando-me a aceitar a sombra das árvores e das caixas postais, percebi, por seus casacos e guarda-chuvas, mesmo a distância, como estavam embebidos numa substância feita da reunião de repetidos momentos; estão comprometidos, têm uma atitude, filhos, autoridade, fama, amor, sociedade; ao passo que eu não tenho nada. Não tenho rosto.
— Aqui nesta sala de jantar vocês veem galhadas de cervos e copos; os saleiros; manchas amarelas na toalha de mesa. "Garçom!", diz Bernard. "Pão!", diz Susan. E o garçom vem; traz pão. Mas vejo com admiração e terror o lado de uma xícara como uma montanha, apenas partes de galhadas, e a claridade no flanco daquele jarro como uma rachadura na escuridão. Suas vozes soam como árvores rangendo na floresta. Assim, também, seus rostos e suas proeminências e cavidades. Como são belos, parados, imóveis, a distância, à meia-noite, diante das amuradas de alguma praça! Atrás de vocês há uma meia-lua alva de espuma, e pescadores na fímbria do mundo lançam e recolhem redes. Um vento arrufa as folhas mais altas das árvores primevas. (Mas estamos sentados aqui em Hampton Court.) Papagaios a guinchar rompem a intensa quietude da floresta virgem. (Aqui, o trem dá partida.) A andorinha mergulha sua asa em tanques de água à meia-noite. (Aqui, conversamos.) Essa é a circunferência que tento agarrar enquanto estamos sentados juntos. Assim, tenho de me submeter à penitência de Hampton Court, precisamente às sete e meia.
— Mas, uma vez que preciso desses pãezinhos e garrafas de vinho, e que são belos seus rostos com suas concavidades e proeminências, e a toalha de mesa e suas manchas amarelas, longe de poder espalhar-se em círculos cada vez mais amplos de compreensão, que por fim (assim sonho, despencando na margem da terra quando à noite minha cama flutua suspensa) abrangessem o mundo inteiro, tenho de assumir os trejeitos do solitário. Tenho de partir quando vocês me puxam com seus filhos, seus poemas, suas frieiras ou o que quer que andem fazendo ou sofrendo. Mas não

estou decepcionada. Depois de todos esses chamados aqui e ali, safanões e buscas, cairei sozinha através do tênue lençol em golfadas de fogo. E vocês não me ajudarão. Mais cruéis que antigos torturadores, me deixarão cair e, quando tiver caído, me despedaçarão. Contudo, há momentos em que as paredes da mente se tornam mais finas; quando nada está inabsorvido, e eu poderia imaginar que conseguimos soprar uma bolha tão grande que o Sol se ergueria e se poria nela, e poderíamos agarrar o azul do meio-dia e o negror da meia--noite, e sermos lançados para fora e escapar do aqui e do agora.

– Gota a gota – disse Bernard – tomba o silêncio. Condensa-se no telhado da mente e cai por tanques de água abaixo. Para sempre sozinho, sozinho, sozinho – ouço o silêncio tombar e espalhar seus círculos até os mais longínquos recantos. Saciado e repleto, sólido na satisfação da meia-noite, eu, a quem a solidão destrói, deixo que o silêncio tombe gota a gota.

– Mas agora, caindo, o silêncio marca minha face, desmancha meu nariz como um homem de neve imóvel sob a chuva num jardim. Quando o silêncio cai, sou totalmente dissolvido e perco meus traços, sendo quase impossível distinguir-me de outro qualquer. Não importa. O que importa? Jantamos bem. O peixe, as costeletas de vitela, o vinho tornaram obtusos os afiados dentes do egoísmo. A ansiedade repousa. O mais fútil de nós, talvez Louis, não liga para o que as pessoas pensam. Os tormentos de Neville repousam. Os outros que prosperem – é o que ele pensa. Susan ouve a respiração de todos os seus filhos, que dormem bem guardados. "Durmam, durmam", murmura. Rhoda trouxe seus navios até a praia. Não se importa mais em saber se afundaram, se ancoraram. Estamos prontos para considerarmos com bastante imparcialidade qualquer sugestão que o mundo nos ofereça. Agora, pondero que a Terra é apenas um pedregulho acidentalmente caído do rosto do Sol, e não há vida em lugar algum nos abismos do espaço.

– Nesse silêncio – disse Susan –, é como se nenhuma folha jamais tombasse, nem pássaro algum levantasse voo.
– Como se o milagre tivesse acontecido – disse Jinny – e a vida estivesse imobilizada aqui e agora.
– E – disse Rhoda – não tivéssemos mais que viver.
– Mas – disse Louis – ouçam o mundo a mover-se pelos abismos do espaço infinito. Ele dispara; a faixa iluminada da História passou, com nossos reis e rainhas; nós sumimos; nossa civilização; o Nilo; a vida toda. Nossas gotas separadas dissolveram-se; estamos extintos, perdidos nos abismos do tempo, na treva.
– O silêncio tomba; o silêncio tomba – disse Bernard. – Mas agora, ouçam; *tique, tique*; *tuuut, tuuut*; o mundo nos chama novamente. Por um momento escutei os ventos uivantes das trevas quando passamos para além da vida. Depois, *tique, tique* (o relógio); depois, *tuuut, tuuut* (são os carros). Estamos em terra; chegamos à praia; estamos sentados, seis de nós, numa mesa. É a lembrança do meu nariz que retorna a mim. Levanto-me. "Lute"! Grito, "lute!", lembrando a forma do meu nariz, e belicosamente malho a mesa com esta colher.
– Vamos opor-nos a esse caos ilimitado – disse Neville –, essa estupidez informe. Fazendo amor com uma babá atrás de uma árvore, aquele soldado é mais admirável que todas as estrelas. Por vezes, porém, uma estrela fremente aparece no céu claro e me faz pensar que o mundo é belo e que somos vermes que, com nossa luxúria, deformamos até mesmo árvores.
– Ainda assim, Louis – disse Rhoda –, como é breve um silêncio. Já começaram a alisar seus guardanapos ao lado dos pratos. "Quem chegou?" – pergunta Jinny –, e Neville suspira, lembrando Percival, que não virá mais. Jinny pegou seu espelho. Observando o rosto como um artista, passa uma esponja de pó no nariz, e depois de um momento de reflexão dá aos lábios exatamente o vermelho de que lábios precisam. Susan, que sente desprezo e medo à vista desses preparativos, abotoa e desabotoa o botão superior de seu

casaco. Para que estará se preparando? Para algo, mas algo diferente.

— Estão dizendo a si mesmos — disse Louis —, "Está na hora. Ainda tenho vigor", estão dizendo. "Meu rosto se destacará do negror do espaço infinito." Não terminam suas frases. Ficam dizendo "está na hora". "Os jardins serão fechados." E junto com eles vai Rhoda, levada na torrente deles, e nós talvez fiquemos um pouquinho atrás.

— Como conspiradores que têm algo a sussurrar — disse Rhoda.

— É verdade — disse Bernard —, sei que é, tanto quanto descermos por esta avenida, onde um rei que aqui estava a cavalgar caiu em virtude de uma pequena protuberância do solo. Mas como parece estranho colocar diante dos redemoinhantes abismos do espaço infinito uma pequena imagem, com uma espécie de bule de chá dourado na cabeça. Recuperamos depressa nossa crença em imagens; mas não nisso que colocam sobre suas cabeças. Nosso passado inglês — uma polegada de luz. Depois as pessoas colocam bules de chá nas cabeças e dizem: "Sou um rei!". Não, tento recuperar a noção de tempo, enquanto andamos, mas, com essa torrente de escuridão em meus olhos, perdi a segurança. Este palácio parece leve como uma nuvem pousada por um instante no céu. É um truque da mente — colocar reis sobre seus tronos, um após o outro, com coroas nas cabeças. E nós, caminhando lado a lado, os seis, a que nos opomos, com esse fortuito lampejo de luz em nós, a que chamamos cérebro e sentimento; como podemos combater essa torrente; o que tem permanência? Nossas vidas também seguem adiante, descendo avenidas escuras, passando a faixa do tempo, sem serem identificadas. Uma vez Neville jogou um poema em minha cabeça. Sentindo uma repentina convicção de imortalidade, eu disse: "Também sei o que Shakespeare sabia". Mas isso acabou.

— De maneira insensata, ridícula — disse Neville —, o tempo retorna enquanto andamos. Um cão faz isso, saltando. A máquina funciona. A passagem dos anos torna aquele portão venerável. Trezentos anos parecem mais do que um momento que se desvanece diante deste cão. O rei Guilherme usa peruca quando monta seu cavalo, e as damas da Corte roçam a turfa com suas saias de anquinhas bordadas. Estou começando a me convencer, enquanto caminhamos, de que o destino da Europa é de enorme importância, e, por ridículo que pareça, de que tudo depende da batalha de Blenheim. Sim; declaro, quando passamos por este portão, é o momento presente; tornei-me um súdito do rei George.

– Enquanto avançamos por esta avenida – disse Louis –, eu recostado levemente em Jinny, Bernard de braço com Neville, e Susan com sua mão na minha, é difícil não chorar, chamando-nos de criancinhas, pedindo que Deus nos proteja enquanto dormimos. É doce cantarmos juntos, dando-nos as mãos, com medo do escuro, enquanto a srta. Curry toca harmônio.

– Os portões de ferro se fecharam – disse Jinny. – As presas do tempo cessaram de devorar. Triunfamos sobre os abismos do espaço, com ruge, com pó de arroz, com frívolos lencinhos.

– Eu seguro – disse Susan –, seguro firmemente esta mão, ou a de qualquer pessoa, com amor, com ódio; não importa qual.

– Sobre nós baixou um espírito de quietude, incorpóreo – disse Rhoda –, e saboreamos este alívio momentâneo (é raro alguém não sentir ansiedade) quando as paredes da mente se tornam translúcidas. Como o quarteto tocado para as pessoas secas e encalhadas nas cadeiras, o palácio de Wren forma um retângulo. Um quadrado é posto sobre o retângulo, e dizemos: "Este é o nosso abrigo. Agora a estrutura está visível. Muito pouca coisa ficou de fora".

– A flor – disse Bernard –, o cravo vermelho que estava no vaso sobre a mesa do restaurante quando jantamos com Percival, tornou-se uma flor de seis lados; feita de seis vidas.

– Uma misteriosa iluminação – disse Louis –, visível diante destes teixos.

– Construída com muita dor, muitos golpes – disse Jinny.

– Casamento, morte, viagem, amizade – disse Bernard –, cidade e campo; filhos e tudo isso; uma substância de muitos lados, recortada nessa treva; uma flor multifacetada. Paremos por um momento; contemplemos o que fizemos. Deixemos que rebrilhe diante dos teixos. Uma vida. Ali. Passou. Apagou-se.

– Agora – disse Louis –, Susan e Bernard desaparecem. Neville com Jinny. Você e eu, Rhoda, paramos por um momento junto desta urna de pedra. Que canção ouviremos agora que esses casais procuram os bosques e Jinny, apontando com sua mão enluvada, finge observar os nenúfares, e Susan, que sempre amou Bernard, lhe diz: "Minha vida arruinada, minha vida desperdiçada". E Neville, pegando a pequena mão de Jinny, com as unhas cor de cereja, junto do lago, das águas enluaradas, exclama: "Amor, amor", e ela responde imitando o pássaro: "Amor, amor?". Qual a canção que escutamos?

– Eles desapareceram em direção ao lago – disse Rhoda.

– Esgueiraram-se furtivamente sobre a relva, mas com segurança, como se solicitassem à nossa compaixão seu antigo direito – não serem perturbados. A maré na alma, recurvada, escorre naquela direção; eles não podem deixar de abandonar-nos. A treva fechou-se sobre seus corpos. Qual a canção que escutamos – a da coruja, do rouxinol, da carriça? O vapor apita; a luz lampeja nos fios elétricos; as árvores curvam-se e abaixam-se gravemente. Sobre Londres paira uma fulguração. Aqui há uma anciã, voltando quieta, e um homem, um pescador retardatário, desce pelo terraço com seu caniço. Nenhum som, nenhum movimento deve escapar-nos.

– Um pássaro voa para casa – disse Louis. – A noite abre as pálpebras e lança um rápido olhar entre os arbustos, antes de adormecer. Como poderemos juntar tudo isso, a mensagem confusa que nos enviam, não apenas eles, mas muitos mortos, rapazes e moças, homens e mulheres, que andaram por aqui, sob este ou aquele rei?

– Um peso caiu na noite – disse Bernard –, achatando-a. Cada árvore se amplia com uma sombra que não é a sombra da árvore atrás dela. Ouvimos um rufar sobre os telhados de uma cidade sitiada quando os turcos estavam famintos e inseguros. Ouvimos como gritam, em latidos agudos, parecendo punhais: "Abram, abram". Ouvimos bondes guinchando e fios elétricos soltando fagulhas. Ouvimos faias e bétulas erguendo seus ramos como se a noite tivesse deixado cair sua camisola de seda e viesse até a porta dizendo: "Abra, abra".

– Tudo parece vivo – disse Louis. – Não consigo escutar a morte em lugar algum esta noite. A estupidez, no rosto deste homem, e a idade, no daquela mulher, seriam forte o bastante para resistir ao encantamento, pensamos, e trazer a morte. Mas onde está a morte esta noite? Toda a crueza, confusão e restos foram lançados como cacos de vidro na maré azul de franjas rubras, que, invadindo a praia, fértil de incontáveis peixes, quebra-se a nossos pés.

– Se pudéssemos subir juntos – disse Rhoda –, se pudéssemos observar de uma altura suficiente, se pudéssemos permanecer intocados, sem qualquer apoio – mas vocês, perturbados por leves ruídos de palmas de louvor ou riso, e eu, ressentindo-me do certo e errado nos lábios das pessoas, confiamos unicamente na solidão e na violência da morte, e por isso estamos divididos.

– Para sempre – disse Louis –, divididos. Sacrificamos o abraço entre as samambaias, e amor, amor, amor à margem do lago, parados junto da urna como conspiradores que se afastaram para partilharem algum segredo. Mas agora, vejam, quando estamos aqui postados, irrompe um frêmito no horizonte. A rede ergue-se mais e mais. Chega à superfície da água. A água é varada por peixinhos trêmulos e prateados. Ora saltando, ora disparando, são depositados na praia. A vida lança sua rede sobre a relva. Há vultos que vêm nessa direção. São homens ou mulheres? Ainda usam os ambíguos panejamentos da ondulante maré em que estiveram submersos.

— Agora — disse Rhoda —, quando passam por aquela árvore, reassumem seu tamanho natural. São apenas homens, apenas mulheres. Espanto e admiração mudam quando despem os panejamentos da maré ondulante. A compaixão retoma quando emergem para o luar, como relíquias de um exército, nossos representantes, indo para a batalha todas as noites (aqui ou na Grécia), e todas as noites regressando com seus ferimentos e seus rostos devastados. Agora a luz cai sobre eles. Têm rostos. Transformam-se em Susan e Bernard, Jinny e Neville, pessoas que conhecemos. Que encolhimento! Que atrofiamento, que humilhação! Os antigos calafrios me perpassam, ódio e terror, quando me sinto manietada a um lugar por esses ganchos que são lançados sobre nós; essas saudações, reconhecimentos, apertos de dedos, olhos que buscam. E, no entanto, para me enternecer, basta que falem, que pronunciem palavras cujo tom é familiar e o sentido sempre diferente do que se esperava, ou que suas mãos se movam e façam ressurgir do âmago das trevas os milhares de dias do passado.

— Alguma coisa cintila e dança — disse Louis. — A ilusão retoma quando se aproximam descendo a avenida. Começam a leve agitação e as indagações. O que penso de vocês — o que pensam de mim? Quem são vocês? Quem sou eu? — isso faz encrespar-se novamente um ar indeciso sobre nós, e o pulso se apressa e o olho se ilumina e toda a loucura da existência pessoal, sem a qual a vida se achataria e morreria, recomeça. Eles estão perto de nós. O sol do sul cintila sobre esta urna; entramos na maré do oceano violento e cruel. Deus nos ajude a desempenhar nossos papéis quando os saudarmos no retorno — Susan e Bernard, Neville e Jinny.

— Destruímos alguma coisa com nossa presença — disse Bernard —, talvez um mundo.

— Quase nem respiramos — disse Neville —, gastos como estamos. Encontramo-nos nessa passiva e exausta disposição de alma em que apenas queremos voltar ao corpo de nossa mãe, do qual fomos apartados. Todo o resto é desagradável, forçado e fatigante. O lenço amarelo de Jinny tem cor de mariposa nessa luz; os olhos de Susan estão apagados. Quase não nos distinguimos do rio. A brasa de um cigarro é o único ponto de ênfase entre nós. A tristeza tinge nossa alegria por termos abandonado vocês, rompido a textura; entregues ao desejo de espremermos sozinhos uma seiva mais amarga, mais negra, que também era doce. Mas agora estamos desgastados.

– Depois do nosso fogo – disse Jinny –, nada resta para ser guardado em medalhões.

– Ainda abro a boca – disse Susan –, como um pássaro jovem e insaciado, para apanhar algo que me escapou.

– Fiquemos ainda um momento, antes de partir – disse Bernard. – Andemos pelo terraço junto ao rio quase deserto. Falta pouco para a hora de dormir. Todos foram para suas casas. Como tranquiliza observar agora as luzes emergindo dos quartos de dormir de pequenos comerciantes do outro lado do rio. Uma aqui, outra ali. O que pensam que lucraram hoje? Apenas o bastante para pagar o aluguel, luz e comida e a roupa das crianças. Apenas o bastante. Que impressão de uma vida tolerável nos dão as luzes dos quartos de dormir dos pequenos comerciantes! Chega o sábado, e há apenas o suficiente para talvez pagar as entradas de cinema. Talvez antes de apagarem a luz andem até o jardinzinho e contemplem o coelho gigante agachado em sua casinhola de madeira. É o coelho que comerão no jantar de domingo. Depois apagam as luzes. E dormem. E, para milhares de pessoas, o sono não é senão calor e silêncio, e o jogo momentâneo com algum sonho fantástico. "Despachei minha carta para o jornal de domingo", pensa o verdureiro. "E se eu ganhar 500 libras na aposta de futebol? E vamos matar o coelho. A vida é agradável. A vida é boa. Despachei a carta. Vamos matar o coelho." E o verdureiro adormece.

– A coisa continua. Ouçam. Há um ruído como entrechoques de vagões num desvio da linha férrea. É a feliz concatenação de um evento seguindo o outro em nossas vidas. Bate, bate, bate. Tem, tem, tem. Tem de partir, tem de dormir, tem de acordar, tem de levantar – palavra solene e misericordiosa que fingimos injuriar, que apertamos ao coração, sem a qual não existiríamos. Como reverenciamos este som, parecido com o entrechoque de vagões num desvio!

– Agora, ouço o coro ao longe, rio abaixo; a canção dos menininhos presunçosos que voltam em grandes ônibus, vindos de um dia ao ar livre no convés de navios repletos. Ainda cantam como costumavam cantar, no pátio, em noites de inverno, ou com as janelas abertas no verão, embebedando-se, quebrando os móveis, usando pequenos barretes listrados, todos voltando as cabeças na mesma direção quando a carruagem dobrava a curva; e eu desejava estar com eles.

– Com o coro e a água veloz e o murmúrio quase imperceptível da brisa, estamos nos afastando. Pedacinhos de nós mesmos, migalhas. Ali! Algo muito grave desabou. Não consigo manter-me inteiro. Vou dormir. Mas precisamos partir; temos de pegar nosso trem; temos de andar de volta à estação – temos, temos, temos. Somos apenas corpos correndo lado a lado. Existo unicamente nas solas dos meus pés e nos fatigados músculos de minhas coxas. Parece que estivemos andando horas a fio. Mas onde? Não consigo lembrar. Sou como um toro de madeira deslizando suavemente por uma cascata. Não sou um juiz. Não sou convocado para dar minha opinião. Casas e árvores são a mesma coisa nessa luz cinzenta. Aquilo é um poste? É uma mulher andando? Aqui fica a estação, e se o trem me despedaçasse em dois, eu me ajuntaria novamente do outro lado, uno, indivisível. Mas o estranho é que mesmo agora, mesmo dormindo, ainda posso agarrar firme entre os dedos da mão direita o pedaço de volta de minha passagem para Waterloo.

***

O Sol declinara. Não se distinguiam mar e céu. As ondas, ao quebrarem, derramavam na praia seus leques alvos, enviavam alvas sombras para o recesso das cavernas sonoras, depois rolavam de volta, suspirando por sobre as pedras.

A árvore sacudiu seus ramos e uma chuva de folhas caiu no solo. Acomodaram-se em perfeita quietude, no lugar exato em que aguardariam a dissolução. Negror e cinzas foram lançados no jardim pelo recipiente partido que antes contivera luz vermelha. Sombras escureciam os túneis entre caules. O tordo silenciara e o verme encolhera-se de volta à sua caverna estreita. Vez por outra, uma palha esbranquiçada e oca era soprada de algum ninho antigo, e tombava nos capins escuros entre maçãs podres. A luz desvanescera-se da parede do galpão de ferramentas, e a pele de víbora pendia vazia no prego. Todas as cores do aposento haviam transbordado de suas margens. A pincelada precisa estava inchada e oblíqua; armários e cadeiras diluíam suas massas castanhas em uma volumosa obscuridade. No espaço entre o chão e o teto pendiam amplos cortinados de trêmula escuridão. O espelho estava baço como a boca de uma caverna coberta de trepadeiras pendentes.

As colinas perderam sua solidez. Luzes errantes impeliam uma cunha emplumada através de invisíveis estradas submersas, mas luz alguma se abria entre as asas dobradas das colinas, e não se ouvia som, exceto o grito de algum pássaro em busca de uma árvore mais isolada. Na beira do rochedo havia um monótono rumor de ar varrido através de florestas, de água resfriada nas mil cavidades vítreas do alto-mar.

Como se houvesse ondas de escuridão no ar, a noite avançava, cobrindo casas, colinas, árvores, como as ondas que rodeiam os flancos de um navio naufragado. A escuridão corria pelas casas abaixo, circundando vultos isolados, engolfando-os; apagando casais agarrados debaixo da chuvosa treva dos olmos com sua densa folhagem de verão. A escuridão rolava suas ondas pelas veredas cheias de relva e por sobre a enrugada pele da turfa, envolvendo o solitário espinheiro e os caramujos vazios a seus pés. Subindo mais alto, a escuridão soprou pelas rampas nuas do planalto, encontrando os pináculos desgastados e esmerilhados da montanha, onde a neve se aloja perpetuamente na dura rocha, mesmo quando os vales estão repletos de torrentes e das folhas amarelas das videiras, e, sentadas em varandas, as jovens erguem o olhar para a neve, protegendo os rostos com seus leques. Também a eles a escuridão encobriu.

***

– Agora, trata-se de resumir – disse Bernard. – Agora, trata-se de explicar-lhe o sentido de minha vida. Como não nos conhecemos (embora eu tenha visto você uma vez, penso, a bordo de um navio a caminho da África), podemos falar livremente. Tenho a ilusão de que alguma coisa adere por um momento, assume forma, peso, profundidade, perfeição. No momento, parece ser a minha vida. Se fosse possível, eu a daria a você. Haveria de colhê-la como se colhe um cacho de uvas. E diria: "Tome-a. É minha vida".

– Infelizmente, porém, o que vejo (esta esfera cheia de imagens), você não vê. Você vê a mim, sentado à mesa à sua frente, um homem um tanto pesado, de certa idade, têmporas grisalhas. Vê-me apanhar o guardanapo e desdobrá-lo. Você me vê encher o cálice de vinho. E vê atrás de mim a porta que se abre, gente passando. Mas a fim de fazê-lo compreender e lhe dar minha vida, preciso contar-lhe uma história – e há tantas, tantas: histórias de infância, histórias de colégio, amor, casamento, morte, e assim por diante; e nenhuma delas é verdadeira. Mas, feito crianças, contamos histórias uns aos outros, e para enfeitá-las inventamos essas frases ridículas, extravagantes e lindas. Como estou cansado de histórias, como estou cansado de frases que descem lindamente, colocando todos os seus pés no chão! Além disso, como desconfio dos nítidos desenhos da vida lançados sobre meias folhas de papel de carta. Começo a ansiar por alguma linguagem reduzida, como a que os amantes usam, palavras quebradas, palavras inarticuladas, como pés arrastando-se no calçamento. Começo a procurar algum desenho mais em harmonia com aqueles momentos de humilhação e triunfo que vez por outra inegavelmente chegam. Deitado numa vala num dia de tempestade, ver depois da chuva enormes nuvens aparecerem marchando no céu, nuvens esfarrapadas, fiapos de nuvens. O que então me encanta é a confusão, a altitude, a indiferença e a fúria.

Grandes nuvens em constante alteração e movimento; sulfurosas e sinistras, a inchar, bojudas, apressadas; alteando-se como torres, singrando, apartadas, perdidas, e eu esquecido, minúsculo, numa vala. E então não vejo sinal de história, de desenho.

– Enquanto isso, enquanto comemos, viremos essas cenas como crianças viram páginas de um livro de figuras e as amam, apontando, diz: "Isto é uma vaca. Aquilo é um barco". Vamos virar as páginas, e para diverti-lo acrescentarei um comentário à margem.

– No começo era um quarto de crianças com janelas para um jardim, e mais além o mar. Vi algo iluminar-se – sem dúvida a maçaneta de cobre de um armário. Depois a sra. Constable erguia a esponja sobre a cabeça, espremia-a, e dela disparavam, à direita, à esquerda, descendo pela minha espinha, dardos de sensações. E assim, enquanto respirarmos, pelo resto dos nossos dias, se batermos numa cadeira, numa mesa ou numa mulher, seremos varados por dardos de sensações – se andarmos num jardim, se bebermos deste vinho. Algumas vezes, é verdade, quando passo por uma casa com uma luz na janela onde nasceu uma criança, gostaria de implorar-lhes que não espremessem a esponja sobre esse novo corpo. Depois, havia o jardim e o dossel das folhas caídas que pareciam fechar tudo; flores ardendo como centelhas nas profundezas verdes; um rato coroado de vermes debaixo de uma folha de ruibarbo; a mosca zumbindo, zumbindo, zumbindo no teto do quarto das crianças, e pratos e mais pratos de inocente pão com manteiga. Todas essas coisas acontecem num segundo, e duram para sempre. Rostos assomam, indistintos. Disparando pela esquina, dizemos: "Olá, ali está Jinny. Aquele é Neville. Aquele é Louis, usando flanela cinza com cinto de couro de cobra. Aquela é Rhoda". Ela tinha uma bacia na qual boiavam pétalas de flores brancas. Foi Susan quem chorou naquele dia em que eu estava no galpão com Neville; e senti minha indiferença esvair-se. Neville não. "Por isso", disse eu, "sou eu mesmo, não sou Neville", uma descoberta maravilhosa. Susan chorava e eu a segui. Seu lenço molhado, e a visão de suas pequenas costas subindo e descendo como uma alavanca, soluçando pelo que eu lhe negara, irritou meus nervos. "Não posso suportar isso", disse eu, sentando-me ao seu lado sobre as raízes duras como esqueletos. E pela primeira vez tive consciência da presença daqueles inimigos, que mudam mas estão sempre lá; as forças contra as quais lutamos. É inconcebível deixar--se levar passivamente. Dizemos: "Mundo, essa é a sua sorte, a minha é esta". Então exclamei: "Vamos fazer uma exploração por aqui", e levantei-me de um salto, e corri colina abaixo com Susan, e vi o cavalariço pateando no quintal com grandes botas. Bem abaixo, nas profundezas das folhas, os jardineiros varriam os relvados com grandes vassouras. A dama estava sentada escrevendo. Transfixado, parei de repente, e pensei: "Não posso interferir num só roçar dessas vassouras. Elas varrem e varrem. Nem na fixidez daquela dama que escreve". É estranho que não se possa fazer parar jardineiros varrendo nem desalojar uma mulher. Permaneceram lá durante toda a minha vida. É como se eu tivesse despertado em Stonehenge, rodeado de um círculo de grandes pedras, estes inimigos, estas presenças. Depois um pombo silvestre saiu voando das árvores. E, apaixonado pela primeira vez, fiz uma frase – um poema sobre um pombo silvestre –, uma frase só, pois tinha--se aberto um buraco em minha mente, uma dessas súbitas transparências através da qual vemos tudo. Depois, mais pão e manteiga, e mais moscas zumbindo em círculos no teto do quarto das crianças, no qual tremulavam ilhas de luz, penugentas, opalescentes enquanto os dedos estendidos do lustre gotejavam poças azuis na beira da cornija da lareira. Dia após dia, sentados na hora do chá, contemplávamos essas visões.

– Mas todos éramos diferentes. A cera – a cera virginal que envolve a coluna vertebral derretia em formas diversas para cada um de nós. Os bramidos do cavalariço fazendo amor com a copeira entre as groselheiras; as roupas infladas

e retesadas no varal; o morto na sarjeta; a macieira hirta ao luar; o rato coberto de vermes; o lustre gotejando luz azul – nossa cera alva estriada e manchada de maneira diferente sob efeito de cada uma dessas coisas. Louis sentia repugnância pela natureza da carne humana; Rhoda, por nossa crueldade; Susan não conseguia partilhar coisa alguma; Neville desejava ordem; Jinny, amor; e assim por diante. Sofremos terrivelmente quando nos tornamos corpos separados.
– Mas fui preservado desses excessos e sobrevivi a muitos de meus amigos. Estou um pouco gordo, grisalho, tórax arqueado, porque é o panorama da vida, visto não do telhado, mas de uma janela do terceiro andar que me encanta; não o que uma mulher diz a um homem, nem que esse homem seja eu. Como puderam zombar de mim na escola por causa disso? Como puderam dificultar tanto as coisas para mim? Lá vinha o reitor para a capela, num passo balouçante, como se comandasse um navio de guerra numa tempestade, gritando ordem num megafone, pois, quando têm autoridade, as pessoas sempre se tornam melodramáticas – eu não o odiava como Neville, nem o reverenciava como Louis. Tomava notas quando estávamos sentados juntos na capela. Havia pilares, sombras, placas de bronze comemorativas, rapazes que brigavam e arrebentavam selos uns dos outros por trás do *Livro de orações*; o som de uma bomba enferrujada; o reitor que trovejava a respeito da imortalidade e de partirmos como homens; e Percival que coçava sua coxa. Eu tomava notas para histórias; desenhava retratos na margem do meu caderno de bolso, e assim me tornava mais isolado ainda. Aqui há uma ou duas das imagens que eu via. Naquele dia, na capela, Percival sentava-se olhando fixamente em frente. Também tinha uma maneira de passar rapidamente a mão na nuca. Seus movimentos eram sempre notáveis. Todos passávamos as mãos na parte de trás de nossas cabeças – sem qualquer êxito. Ele tinha a espécie de beleza que se defende de qualquer carícia. Como não fosse nem um pouco

precoce, lia tudo o que era escrito para nossa edificação, sem qualquer comentário, e pensava, com a magnificente equanimidade (palavras latinas me ocorrem naturalmente) que o preservaria de tantas vulgaridades e humilhações, que as tranças cor de linho de Lucy e suas faces rosadas eram o auge da beleza feminina. Assim preservado, seu gosto mais tarde tornou-se extremamente refinado. Mas haveria música, algum cântico selvagem. Pela janela entraria a canção de caça de alguma vida rápida e inapreensível – um som que dispara entre as colinas, e morre. O que é espantoso, o que é inesperado, aquilo de que não podemos prestar contas, o que transforma a simetria em absurdo – é isto que, súbito, me vem à mente, quando penso nele. O pequeno instrumento de observação é desarticulado. Pilares se abaixam; o reitor afasta-se flutuando; uma repentina exaltação me domina. Cavalgando numa competição ele foi lançado do cavalo, e quando vim por Shaftesbury Street esta noite, os rostos insignificantes e escassamente formulados que borbulham emergindo das portas do metrô, e muitos hindus obscuros, e pessoas morrendo de fome e doença, mulheres traídas, cães surrados e crianças em pranto – todos me pareceram privados de algo essencial. Ele teria feito justiça. Teria concedido proteção. Aos 40 anos, teria abalado as autoridades. Jamais me ocorreu uma canção de ninar que, com sua melodia, fosse capaz de fazê-la repousar.

– Mas quero mergulhar novamente e, com minha colher, trazer à tona outro desses diminutos objetos a que chamamos com otimismo "as personalidades de nossos amigos" – Louis. Ele ficava sentado olhando o pregador. Seu ser parecia acumulado em sua fronte, os lábios comprimidos; olhos fixos, nos quais subitamente lampejava o riso. Também sofria de frieiras, castigo por uma circulação imperfeita. Infeliz, sem amigos, em exílio, por vezes, em momentos de confidência, descrevia a onda varrendo as praias na sua terra natal. O implacável olho da juventude fixava-se em suas juntas inchadas. Sim, mas também percebíamos logo o quanto era sarcástico, competente, severo, e, quando jazíamos debaixo dos olmos fingindo acompanhar o jogo de críquete, com que naturalidade desejávamos sua aprovação, raramente concedida. Ressentíamo-nos tanto de sua ascendência sobre nós quanto adorávamos a de Percival. Afetado, desconfiado, erguia os pés como uma grua, mas havia uma lenda de que a punho nu quebrara uma porta. Contudo, seu cume era demasiado despido e pedregoso para poder sustentar essa espécie de nevoeiro. Ele não possuía as ligações simples com que uma pessoa se une a outra. Permanecia reservado; enigmático; um estudante capaz de uma inspirada compreensão por vezes admirável. Minhas frases (como descrever a Lua) não mereciam sua aprovação. Por outro lado, ele me invejava com desespero, porque me sentia à vontade com os criados. Não que lhe faltasse consciência de seus próprios méritos. Ela era proporcional ao seu respeito pela disciplina. Enfim, daí o seu sucesso. Mas não era feliz. Veja – seu olho torna-se baço aqui na palma de minha mão. Subitamente perdemos a noção do que são as pessoas. Deponho-o outra vez no tanque de água, e voltará a adquirir seu brilho.

– Agora, Neville – deitado de costas olhando o céu de verão. Flutuava entre nós como lanugem de cardo, indolentemente habitando o canto ensolarado do campo de esportes, sem prestar atenção ao que se dizia, mas, ainda assim, não remoto. Foi por meio dele que meti um pouco o nariz nos clássicos latinos, sem jamais os tocar realmente, e também peguei alguns daqueles persistentes hábitos de pensar que nos tornam irremediavelmente fora de esquadro – por exemplo, sobre crucifixos: são a marca do diabo. Nossos meios-amores e meios-ódios e ambiguidades nesses assuntos eram para ele traições indefensáveis. O reitor cambaleante e estentórico, que eu imaginava sentado agitando os suspensórios sobre a chama do gás, não era para ele senão um instrumento da Inquisição. Assim, com uma paixão que compensava a indolência, voltava-se para Catulo, Horácio, Lucrécio, jazendo preguiçosamente a cochilar, sim, mas observando, notando, com arrebatamento, os jogadores de críquete, enquanto, com a mente parecendo uma língua de tamanduá, rápida, hábil, glutona, escolhia daquelas frases romanas cada circunvolução, cada torneio, e escolhia uma pessoa, sempre uma pessoa para sentar-se ao lado. – E as longas saias das esposas dos professores passariam farfalhando, altas, ameaçadoras; e nossas mãos voariam para os barretes. E um enorme embotamento baixaria, inteiriço e monótono. Nada, nada, nada rompia com sua barbatana esse plúmbeo deserto de águas. Nada aconteceria para erguer aquele peso de intolerável fastio. Os períodos escolares prosseguiam. Crescemos; mudamos; pois, naturalmente, somos animais. Nem sempre estamos totalmente conscientes; respiramos, comemos, dormimos mecanicamente. Existimos, não apenas separadamente, mas em blocos indiferenciados de matéria. Com um só movimento de pá, todo um vagão cheio de rapazes é varrido e se vai, jogando críquete, jogando futebol. Um exército marcha através da Europa. Reunimo-nos em parques e salões, e laboriosamente nos opomos a qualquer renegado (Neville, Louis, Rhoda) que construa uma existência à parte. Sou formado de tal maneira que, ouvindo uma das melodias distintas, como as que Louis canta, ou Neville, também sou irresistivelmente impelido para o som do coro entoando sua canção antiga, sua canção quase sem palavras, quase sem sentido, que vem pelos pátios à noite; que agora escutamos ribombando ao nosso redor, enquanto carros e ônibus levam pessoas aos teatros. (Ouça, os carros passam disparando por este restaurante; vez por outra, lá embaixo no rio, uma sirene uiva, quando um vapor parte para o mar.) Se no trem um caixeiro-viajante me oferece uma dose de rapé, aceito. Gosto do aspecto das coisas copiosas, informes, cálidas, não muito inteligentes, mas extremamente fáceis e um tanto rudes; a fala de homens em clubes e casas públicas, de mineiros seminus em ceroulas – sinceros, perfeitamente despretensiosos, sem fim em vista senão jantar, amor, dinheiro e arranjar-se de maneira suportável; que não têm grandes esperanças, ideais, nem qualquer coisa desse tipo;

que nada pretendem senão fazer de tudo isso um trabalho razoavelmente bom. Gosto disso. Assim reunia-me a eles quando Neville se amuava, ou Louis, concordo que de maneira sublime, se afastava abruptamente.

– Assim, não era de maneira igual, ordenada, que meu colete de cera se derretia, mas em grandes estrias, uma gota aqui, outra ali. Agora, viam-se através dessas transparências aquelas admiráveis pastagens, primeiro tão alvas de lua, tão radiantes, em que jamais pisou pé algum; campinas de rosa, de açafrão, de rochedos e serpentes também; de manchas e cor trigueira; os embaraços, os vínculos, subidas a passos curtos. Saltamos da cama, abrimos a janela num impulso; que sussurro de pássaros a alçarem voo! Você conhece esse súbito fremir de asas, esse clamor, gorjeio, confusão; o tumulto e o balbucio de vozes; e todas as gotas cintilam, tremulam, como se o jardim fosse um mosaico estilhaçado, evanescente, cintilante; ainda não conformado em uma unidade; e um pássaro canta perto da janela. Ouvi esses cantos. Segui esses fantasmas. Vi Joans, Dorothys e Mirians, esqueci seus nomes, descendo avenidas, parando sobre pontes para olhar o rio embaixo. E dentre elas erguem-se uma ou duas imagens distintas, pássaros que cantaram junto à janela com o extasiado egoísmo da juventude; partiram seus caracóis contra pedras, mergulharam seus bicos em substância viscosa e sufocante; duros, ávidos, implacáveis; Jinny, Susan, Rhoda. Tinham sido educadas na Costa Leste e na Costa Sul. Deixaram crescer longas tranças e adquiriram a aparência de potros amedrontados, a marca da adolescência.

– Jinny foi a primeira a entrar pelo portão, andando de lado, para comer açúcar: tirava-o da palma de minha mão, muito hábil, mas suas orelhas viravam-se para trás como se fosse capaz de morder. Rhoda era selvagem – nunca se podia agarrar Rhoda. Era ao mesmo tempo assustada e desajeitada. Foi Susan quem se tornou mulher em primeiro lugar, puramente feminina. Foi ela quem gotejou em meu rosto aquelas lágrimas escaldantes que são belas, terríveis; ambas as coisas, nenhuma coisa. Nascera para ser adorada por poetas, pois os poetas exigem segurança; alguém que permaneça sentada costurando; que diga: "Odeio, amo", que não seja confortável nem próspera, mas que harmonize com a elevada porém não enfática beleza do estilo puro que os poetas tanto admiram. O pai dela singrava de quarto em quarto, e por corredores embandeirados, com seu robe esvoaçante e chinelos cambaios. Em noites quietas, uma cortina de água despencava com um bramido, a uma milha dali. O velho cão quase não conseguia subir em sua cadeira. E podia-se ouvir alguma criada tola rindo no sótão da casa enquanto girava e girava a roda da máquina de costura.

– Observei isso até no meio da minha agonia, quando, enrolando seu lenço, Susan chorava: "Amo, odeio". Comentei: "Uma criada insignificante está rindo lá em cima no sótão", e essa pequena passagem dramática mostra como mergulhamos de maneira incompleta em nossas próprias experiências. Nas fímbrias de cada agonia há um observador sentado a apontar o dedo, sussurrando como ele sussurrou para mim naquela manhã de verão, na casa em que o trigal sobe até a janela: "O salgueiro cresce na turfa junto ao rio. Os jardineiros varrem com suas grandes vassouras, e a dama está sentada escrevendo". Assim ele me indicava o que está além e fora da nossa própria condição; o que é simbólico e ainda assim, talvez, permanente, se é que há qualquer permanência em nossas vidas que dormem, comem, respiram, tão animais, tão espirituais e tão tumultuadas.

– O salgueiro crescia junto ao rio. Sentei-me na turfa macia com Neville, com Larpent, com Baker, Ramsey, Hughes, Percival e Jinny. Através de suas finas plumas pontilhadas por diminutas orelhas de folhas verdes na primavera, cor de laranja no outono, avistei barcos; avistei edifícios; avistei mulheres decrépitas e apressadas. Enterrei fósforo após fósforo decididamente na turfa, para marcar este ou aquele estágio no processo de compreensão (podia ser filosofia; ciência; podia ser eu mesmo) enquanto, flutuando desligada, a franja da minha inteligência colhia aquelas sensações distantes em que depois de algum tempo a mente penetra e nas quais trabalha: o toque de sinos; murmúrios generalizados; vultos evanescentes; uma jovem numa bicicleta que, rodando, parecia erguer o canto de uma cortina a esconder o caos populoso e indiferenciado da vida que subia e descia por trás dos contornos de meus amigos e do salgueiro.

– Somente a árvore resistia ao nosso eterno fluxo. Pois eu mudava e mudava; fui Hamlet, fui Shelley, fui o herói, cujo nome agora esqueço, de um romance de Dostoiévski; fui, inacreditavelmente, por todo um período escolar, Napoleão; mas fui principalmente Byron. Por muitas semanas consecutivas, meu papel foi entrar em salas e jogar luvas e casaco no encosto de cadeiras, franzindo de leve a sobrancelha. Estava sempre indo até a estante para outro gole do divino elixir. Por isso, despejava sobre alguém inadequado minha tremenda bateria de frases – uma jovem, hoje casada, hoje sepultada; cada livro, cada lugar junto à janela, cobria-se das folhas de minhas cartas não concluídas à mulher que me transformava em Byron. Pois é difícil concluir uma carta no estilo de outra pessoa. Mandei tudo para a casa dela num transe; troquei presentes, mas não me casei com ela, indubitavelmente imaturo demais para tamanha intensidade.

– Aqui, mais uma vez, deveria haver música. Não aquela selvagem canção de caça, a música de Percival; mas uma canção dolorosa, gutural, visceral, também sublime, sonoro canto de cotovia, para substituir essas transcrições desgastadas e tolas – tão excessivamente deliberadas! Tão excessivamente razoáveis! – que tentam descrever o passageiro instante do primeiro amor. Um vidro roxo é posto diante do dia. Ver um aposento antes que ela chegue, e depois. Ver os inocentes lá fora abrindo seu caminho. Eles não enxergam nem ouvem; mas continuam em frente. Movendo-nos nessa atmosfera radiante mas pegajosa, como somos conscientes de cada movimento – alguma coisa adere, alguma coisa se prende em nossas mãos, até quando pegamos no jornal. Depois vem a dilaceração – ser puxado para fora, tramado como teia de aranha, enrolado em agonia em torno de um espinho. Depois o trovejar de uma absoluta indiferença; a luz foi soprada e apagou-se; depois, o retorno de uma alegria imensurável e irresponsável; alguns campos parecem rebrilhar verdes para sempre, e inocentes paisagens emergem à luz de uma primeira madrugada – um quadrado verde, por exemplo, em Hampstead; e todos os rostos se iluminam, todos conspiram num sopro de eternecida alegria; depois, a sensação mística de plenitude, e depois aquela aspereza irritante, como a pele de um tubarão – negros dardos de sensação trêmula quando ela não escreve, quando ela não vem. Irrompe uma porção de suspeitas eriçadas, horror, horror, horror – de que adianta elaborar penosamente essas frases coerentes, quando precisamos não de uma sequência coerente, mas de um latido, um gemido? E, anos mais tarde, ver uma mulher de meia-idade tirando sua capa num restaurante.

– Retornar, porém. Vamos fingir uma vez que a vida é uma substância sólida, em forma de esfera, que podemos revirar entre os dedos. Vamos fingir que podemos inventar uma história clara e lógica, de modo que, quando um assunto foi resolvido – amor, por exemplo –, continuemos ordenadamente até o outro. Eu dizia que havia um salgueiro. Sua chuva de ramos pendentes, sua casca áspera e tortuosa tinham a aparência do que permanece fora de nossas ilusões, mas não pode resistir a elas; é por elas transformado num instante e, ainda assim, transparece estável, quieto, numa rigidez que nossas vidas não têm. Daí o comentário que essa árvore faz sobre nossas vidas; o modelo que apresenta e a razão pela qual, enquanto fluímos e mudamos, parece medi-las. Neville, por exemplo, sentado comigo na turfa. Mas é possível algo ser tão claro quanto isso aí, disse eu, seguindo seu olhar pelas ramadas até um barco no rio e um rapaz comendo bananas tiradas de um saco de papel. A cena destacava-se com tal intensidade, e tão permeada pela característica do olhar dele, que por um momento também pude ver: o barco, as bananas, o rapaz, através dos ramos de salgueiro. Depois, desvaneceu-se.

— Rhoda veio andando vagamente. Usaria, para ocultar-se atrás, qualquer estudante de roupas largas, qualquer jumento revolvendo a turfa com as patas, a escorregar. Que medo palpitava e se escondia, erguendo-se em labareda no fundo de seus olhos cinzentos, aqueles seus olhos perplexos, sonhadores? Por mais cruéis e vingativos, não somos maus a tal ponto. Temos certamente nossa bondade fundamental, ou me seria impossível falar livremente com alguém que mal conheço – deveríamos parar. O salgueiro, quando ela o avistou, crescia na fímbria de um deserto cinza, onde nenhum pássaro cantava. As folhas encolheram-se quando ela as fitou. Debateram-se em agonia quando ela passou por perto. Os bondes e os ônibus bramiam roucos na rua, disparando sobre rochedos, seguindo velozes e espumejantes. Talvez um pilar, incendiado pelo sol, se erguesse no deserto dela, junto a um tanque de água onde animais selvagens vêm furtivamente beber.

— Depois, chegou Jinny. Lançou seu fogo sobre a árvore. Era como uma papoula crespa, febril, sedenta, com desejo de beber poeira seca. Vinha preparada, dardejando, angulosa, nem um pouco impulsiva. Assim ziguezagueiam pequenas chamas sobre as fendas da terra seca. Ela fazia com que os salgueiros dançassem, mas não pela ilusão, pois não via nada que não estivesse ali. Era uma árvore; havia o rio; era de tarde; estávamos ali; eu com meu terno de sarja; ela, de verde. Não havia passado nem futuro; apenas o momento em seu anel de luz – e nossos corpos; e o inevitável clímax, o êxtase.

— Louis, acomodando-se na relva, espraiando cautelosamente (não exagero) um quadrado de tecido impermeável, fazia notar sua presença. Era formidável. Eu tinha a inteligência de saudar sua integridade; seus dedos ossudos envolvidos em trapos por causa das frieiras, procurando algum diamante de indissolúvel veracidade. Em buracos na turfa a seus pés, eu enterrava caixas de fósforos queimados. Sua língua severa e cáustica reprovava minha indolência. Ele me fascinava com sua sórdida imaginação. Seus heróis usavam chapéu-coco e falavam em vender pianos por 10 libras. O bonde guinchava agudamente na paisagem dele; a fábrica soprava seus vapores acres. Ele habitava ruas e cidades ordinárias onde mulheres jaziam bêbadas, nuas, sobre colchas, no dia de Natal. Suas palavras caindo de uma torre batiam na água, que saltava. Encontrava uma palavra, uma só, para a Lua. Depois erguia-se e partia; todos nos erguíamos; todos partíamos. Mas eu, parando, olhei a árvore, e, como via no outono as ramagens amarelas e rubras, um sedimento se formou; eu me formei; uma gota tombou; eu tombei – isto é, eu emergira de alguma experiência plena.

– Ergui-me e andei – eu, eu, eu; não Byron, Shelley, Dostoiévski, mas eu, Bernard. Até repeti meu próprio nome uma vez ou duas. Balançando minha bengala, entrei numa loja, e – não que eu ame música – comprei um retrato de Beethoven dentro de uma moldura de prata. Não que eu ame música, mas porque o todo da vida, seus mestres, suas aventuras, apareceram em longas filas de magníficos seres humanos atrás de mim; eu era o herdeiro; o continuador; eu, a pessoa miraculosamente indicada para levar aquilo adiante. Assim, balançando minha bengala, com olhos enevoados, não de orgulho, mas de humildade, desci a rua. A primeira agitação de asas erguera-se, o gorjeio, o clamor; e agora entramos; entramos na casa, a casa seca, descomprometida, habitada; o lugar com todas as suas tradições, e objetos, seus acúmulos de lixo, e tesouros dispostos sobre mesas. Visitei o alfaiate da família que se recordava de meu tio. Pessoas apareciam em grande quantidade, não nítidas como os primeiros rostos (Neville, Louis, Jinny, Susan, Rhoda), mas confusas, sem feições, ou mudando suas feições tão depressa que pareciam não ter nenhuma. E, corando, mas cheio de desprezo, na mais estranha condição de puro êxtase e ceticismo, recebi o golpe; essa mistura de sensações perturbadoras, completamente imprevistas, que despencam sobre mim de toda parte, o tempo todo. Que aborrecido! Que humilhante nunca ter certeza do que dizer em seguida, e aqueles penosos silêncios, claros como desertos ressequidos, com cada pedregulho aparecendo; e depois dizer o que não se devia ter dito, e depois ter consciência de um impulso de incorruptível sinceridade, que se desejaria trocar por uma chuva de polidas moedinhas, mas não era possível ali na festa, enquanto Jinny sentava-se, calma e à vontade, abrindo seus raios numa cadeira dourada.

– Depois uma dama diz com um gesto comovente: "Venha comigo". Leva-nos a uma alcova particular e nos introduz nas honras de sua intimidade. Sobrenomes mudam para primeiros nomes; primeiros nomes para apelidos. O que se deve fazer em relação à Índia, à Irlanda, ao Marrocos? Cavalheiros idosos respondem à pergunta decorativamente postados sob candelabros. Estamos surpreendentemente bem providos de informações. Lá fora, bramem as forças indiferenciadas; aqui dentro, somos muito privados, muito explícitos, temos consciência de que é aqui, nesta pequena sala, que fazemos qualquer dia da semana que desejarmos. Sexta-feira ou sábado. Uma concha forma-se por sobre a alma, suave, nacarada, lustrosa, e nela as sensações golpeiam seus bicos em vão. Em mim, formou-se mais cedo do que na maioria. Logo eu estaria cortando minha pera, quando os outros tivessem terminado sua sobremesa. E conseguia concluir minha frase num silêncio absoluto. É também nessa estação que a perfeição nos atrai como um chamariz. Pensamos poder aprender espanhol amarrando uma cordinha ao pé e acordando mais cedo. Enchemos os pequenos compartimentos de nossa agenda com jantares às oito; almoços a uma e trinta. Temos camisas, meias, gravatas expostas sobre a cama.

– Mas é um erro, essa precisão extremada, esse avanço ordenado e militar; uma conveniência, uma mentira. Por debaixo, bem no fundo, mesmo quando chegamos pontualmente na hora marcada, com nossos coletes alvos e cortesias formalizadas, há sempre uma torrente rápida de sonhos desmoronados, cantigas de criança, gritos na rua, frases inconclusas e suspiros – olmos, salgueiros, jardineiros varrendo, mulheres escrevendo –, que se alteia e baixa mesmo quando levamos uma dama para jantar. Enquanto colocamos o garfo tão precisamente sobre a toalha, mil rostos fazem caretas. Não há nada que se possa pescar com a colher; nada que se possa chamar de acontecimento. Mas essa torrente também é viva e profunda. Submerso nela, eu pararia entre um bocado e outro, olhando intensamente um vaso, talvez com uma flor rubra, enquanto um raciocínio me atingia, uma súbita revelação. Ou eu diria, andando pelo Strand: "Esta é a frase que desejo", quando algum belo, fabuloso pássaro-fantasma, peixe ou nuvem com fímbrias de fogo, se erguesse para envolver definitivamente alguma ideia que me perseguia, atrás da qual eu trotava examinando com renovado encanto gravatas e coisas expostas nas vitrines.

– O cristal, a esfera da vida como se diz, longe de ser rígida e fria ao toque, tem paredes do mais fino ar. Se eu as pressionar, tudo irá estourar. Qualquer frase que eu extraia inteira e intacta desse caldeirão será apenas um fio de seis peixinhos que se deixam apanhar enquanto milhões de outros saltam e chiam fazendo o caldeirão borbulhar como prata em ebulição, e escorregam entre meus dedos. Rostos retomam, rostos e rostos – comprimem sua beleza contra as paredes da minha bolha –, Neville, Susan, Louis, Jinny, Rhoda e mil outros. Como é impossível ordená-los corretamente, destacar um separadamente, ou dar o efeito do todo – mais uma vez, como na música. Que sinfonia surge, com suas consonâncias e dissonâncias, com as melodias no alto e o complicado acompanhamento por baixo! Cada um toca sua própria melodia, violino, flauta, trompete, tambor ou qualquer instrumento. Com Neville, "vamos discutir Hamlet". Com Louis, ciências. Com Jinny, amor. Depois, subitamente, num momento de exasperação, parte-se para Cumberland com um homem quieto, por uma semana inteira numa estalagem, a chuva descendo pelas vidraças e nada para jantar a não ser carne de carneiro e carneiro e novamente carneiro. Mas aquela semana permanece uma pedra sólida no caos das sensações não registradas. Foi quando jogamos dominó; depois discutimos por causa da carne de carneiro que estava dura. Depois passeamos na charneca. E uma menininha, espiando na porta, entregou--me aquela carta escrita em papel azul, pela qual fiquei sabendo que a moça que me fizera ser Byron ia casar-se com um nobre fazendeiro. Um homem de perneiras, um homem que usa chibata, um homem que faz discursos sobre bois gordos ao jantar – exclamei irônico, e olhei as nuvens em disparada, e senti meu próprio fracasso; meu desejo de ser livre; de escapar; de me amarrar; de pôr um fim em tudo; de continuar; de ser Louis; de ser eu mesmo; e, com meu impermeável, saí sozinho, e me senti entediado ao pé das colinas eternas, e nem um pouco sublime; e voltei para casa e reclamei da carne e fiz as malas e voltei ao tumulto; à tortura.

– Mesmo assim a vida é agradável, a vida é tolerável. Terça-feira vem depois de segunda; depois, vem quarta. A mente cresce em anéis; a identidade se robustece; a dor é absorvida no crescimento. Abrindo e fechando, fechando e abrindo, com crescente rumor e intensidade, a pressa e a febre da juventude trabalham até que todo o ser pareça expandir e encolher-se como a mola principal de um relógio. Como flui depressa a torrente de janeiro a dezembro! Somos impelidos à frente pelo fluxo das coisas que se tornam familiares a ponto de já nem lançarem sombra. Flutuamos, flutuamos...

– Contudo, uma vez que preciso saltar (para lhes contar esta história), salto aqui, neste ponto, e pouso sobre algum objeto absolutamente trivial – talvez o atiçador de fogo e as pinças, como os vi algum tempo depois de se casar a dama que me fizera ser Byron, à luz de quem chamarei de terceira srta. Jones. É a jovem que usa certo vestido rosa esperando por mim ao jantar, que apanha certa rosa, que me faz sentir

– "Devagar, devagar, esse assunto tem certa importância!", na hora em que me barbeio. – E pergunto: "Como será que ela se porta com crianças?". E observo que é um pouco desajeitada ao lidar com sua sombrinha, mas comoveu-se quando uma toupeira ficou presa na armadilha; por fim, não faria o pão no café da manhã (enquanto me barbeava, eu pensava nos intermináveis cafés da manhã da vida de casado) parecer tão prosaico – quem sentasse diante dessa moça não se surpreenderia vendo, no café da manhã, uma libélula pousada no pão. Ela também me inspirava desejo de me destacar no mundo; também me fazia olhar com curiosidade os rostos até então repulsivos dos bebês recém-nascidos. E o diminuto e feroz latejar – tique-taque, tique-taque – do pulso de minha mente assumia um ritmo mais majestoso. Eu perambulava por Oxford Street. Somos continuadores, somos herdeiros, dizia eu, pensando em meus filhos e filhas; e, embora a sensação seja tão grandiosa que chega a ser absurda, e a sintamos ao subir num ônibus ou ao comprar o jornal da tarde, ainda assim é um elemento especial no fervor com que amarramos nossas batinas, com que agora falamos a velhos amigos metidos em diferentes carreiras. Louis, o habitante do sótão; Rhoda, a ninfa da fonte, sempre úmida; ambos contradiziam o que era tão positivo para mim naquele tempo; ambos me ofereciam o outro lado do que me parecia tão óbvio (que nos casamos, que nos domesticamos); razão pela qual eu os amava, compadecia-me deles, e também os invejava profundamente, por sua sorte diversa.

– Um dia tive um biógrafo, que morreu há muito, mas, se ainda seguisse meus passos com sua antiga intensidade tão lisonjeira, haveria de dizer agora: "Nessa época Bernard casou e comprou uma casa... Seus amigos observaram nele uma crescente tendência para a vida doméstica... O nascimento de filhos tornava altamente desejável que eu aumentasse seus ganhos". Esse é o estilo biográfico que tenta alinhavar os dilacerados pedaços de uma substância, uma substância com beiradas ásperas. Afinal não pode julgar ruim o estilo biográfico quem começa cartas com "Caro senhor" e termina-as com "respeitosamente seu"; não é possível desprezar tais frases dispostas como estradas romanas a varar o tumulto de nossas vidas, pois nos compelem a andar a passo como gente civilizada, com andadura lenta e medida de policiais, embora talvez estejamos cantarolando qualquer tolice ao respirar.

– "Escute, escute, os cães latem", "Venha, venha, ó morte", "Agora o enlace de duas mentes", e assim por diante. "Ele conseguiu algum sucesso na carreira... Herdou uma pequena quantia de um tio" – é assim que o biógrafo prossegue, e, se usamos calças e as prendemos com suspensórios, é preciso mencionar isso, embora seja tentador vez por outra colher amoras; esbanjar frases. Mas é preciso mencionar isso.

– Quero dizer, tornei-me um tipo determinado de homem, traçando meu caminho na vida como se risca uma trilha pelos campos. Minhas batinas gastavam-se um pouco mais do lado esquerdo. Quando eu entrava, eram feitos alguns rearranjos. "Aí está Bernard!" Como as pessoas dizem isso de maneiras diferentes! Há muitos aposentos, muitos Bernards. Havia o encantador, mas fraco; o forte, mas desdenhoso; o brilhante, mas implacável; o camarada muito bom, mas, sem dúvida, terrivelmente maçante; o compreensivo, mas frio; o maltrapilho, mas – vá até o outro quarto – janota, mundano, demasiadamente bem trajado. Para mim mesmo, eu era algo diferente; não era nada disso. Tenho tendência a me plantar mais firmemente ali diante do pão no café da manhã com minha esposa, que, sendo agora inteiramente minha esposa, e não mais a jovem que usava certo rosa quando esperava encontrar-me, me dá a sensação de existir no centro de uma inconsciência, como aquela rã deve ter-se instalado no lado direito de uma folha verde. "Passe...", dizia eu, e ela talvez respondesse: "Leite" ou "Mary virá hoje"... – palavras simples para os que herdaram os espólios de todos os tempos, mas não da maneira como eram ditas ali, dia após dia, na maré plena da vida, quando nos sentimos completos, inteiros, no café da manhã. Músculos, nervos, intestinos, veias, tudo isso que forma a mola e a espiral do nosso ser, o zumbido inconsciente da engrenagem, bem como o dardejar e vibrar da língua, funcionava de maneira soberba. Abrir, fechar; fechar, abrir; comer, beber; por vezes falar – todo o mecanismo parecia expandir-se, contrair-se, como a mola de um relógio. Torrada e manteiga, café e *bacon*, The Times e cartas – de repente, o telefone tocava com premência, e eu me erguia deliberadamente e ia até o telefone. Pegava a boca preta. Notava a facilidade com que minha mente se ajustava para assimilar a mensagem – podia ser (a gente tem dessas fantasias) para assumir o comando do Império Britânico; eu observava minha compostura; percebia com que magnífica vitalidade os átomos da minha atenção se dispersavam, circundavam a interrupção, assimilavam a mensagem, adaptavam-se à nova situação e, quando eu colocava de volta o fone, criavam um mundo mais rico, mais forte, mais complicado, no qual eu era convocado a desempenhar meu papel e não tinha nenhuma dúvida de que poderia executá-lo. Enfiando o chapéu na cabeça, eu saía para um mundo habitado por um número imenso de homens que também tinham enfiado três chapéus na cabeça, e, enquanto nos empurrávamos e sacolejávamos em trens e metrôs, trocávamos a piscadela familiar de competidores e camaradas obrigados com mil artimanhas e ciladas a atingir o mesmo objetivo – ganhar a vida.

– A vida é agradável. A vida é boa. O mero processo da vida é satisfatório. Pense no homem comum de boa saúde. Ele gosta de comer e dormir. Gosta de farejar o ar fresco e andar com passo rápido pelo Strand. Ou no campo há um galo empoleirado num portão; há um potro galopando por um prado. Sempre há alguma coisa a ser feita a seguir. Terça-feira segue a segunda; quarta, a terça. Cada dia espalha a mesma ondulação de bem-estar, repete a mesma curva de ritmo; cobre areia fresca com um calafrio ou retira--se sem isso, um pouco preguiçosamente. Assim o ser vai crescendo em anéis; a identidade se robustece. O que era flamejante e furtivo como o voo das sementes jogadas no ar e sopradas para cá e para lá pelos selvagens bafejos da vida, agora é metódico e ordenado, e lançado com um objetivo – assim parece.

– Deus do céu, que agradável! Deus do céu, que bom! Que tolerável é a vida de pequenos comerciantes, dizia eu, quando o trem saía pelos subúrbios e viam-se luzes em janelas de quartos de dormir. Ativos, enérgicos como um enxame de formigas, dizia eu, parado na janela a observar os operários de sacola na mão passarem em torrente em direção à cidade. Que dureza, que energia e violência nos membros, pensava eu, ao ver homens de ceroulas brancas a correr, em janeiro, atrás de uma bola de futebol num quadrado de neve. Mal-humorado por alguma razão insignificante – podia ser a carne –, parecia-me verdadeira volúpia perturbar com uma pequena agitação a enorme estabilidade de nossa vida matrimonial, cujo frêmito aumentava em alegria, pois nosso filho estava por nascer. Vociferei na hora do jantar. Falei de maneira insensata, como se, milionário, pudesse jogar fora cinco xelins; ou, sendo um perfeito limpador de chaminés, tropeçasse de propósito sobre um escabelo. Subindo para o quarto de dormir, resolvemos na escada nossa briga, e, parado na janela, olhando o céu claro como o interior de uma pedra azul, eu disse: "Graças a Deus não precisamos transpor essa prosa para a poesia. Basta a linguagem cotidiana". Pois o espaço da cena e sua claridade pareciam não oferecer dificuldade alguma, mas permitir que nossas vidas se espraiassem mais e mais além daqueles eriçados telhados e chaminés, até as beiradas sem nenhuma jaça.

– E dentro disso irrompeu a morte – a de Percival. "O que é felicidade?", perguntei (nosso filho nascera), "O que é dor?", referindo-me aos dois lados de meu corpo enquanto descia as escadas, e fazendo uma constatação puramente física. Também percebi o estado da casa; a cortina inflada; a cozinheira cantando; o armário visto através da porta entreaberta. Enquanto descia as escadas, eu disse: "Dê-lhe (a mim mesmo) a prorrogação de um momento a mais". "Agora, nessa sala de estar, ele vai sofrer. Não há como escapar." Mas faltam palavras para a dor. Deveria haver gritos, rachaduras, fissuras, brancura passando sobre coberturas de *chintz*, interferência na noção de tempo e espaço; também a sensação de extrema fixidez dos objetos que passam; sons muito remotos, depois muito próximos; carne rasgada e sangue saltando, uma junta subitamente destroncada – aparecendo debaixo disso tudo algo muito importante, mas remoto, para ser mantido em solidão. Então saí. Vi a primeira manhã que ele jamais veria – os pardais pareciam brinquedos que uma criança puxasse por um barbante. Ver coisas sem ligar-se a elas, de fora, e depois perceber sua beleza – que estranho! E depois a sensação de que um peso foi removido; pretensão e fingimento se foram, e baixou uma leveza, uma espécie de transparência, deixando--nos invisíveis enquanto andamos, podendo ver através das coisas – que estranho. "E agora", disse eu, "que descoberta haverá?", e, para manter tudo inteiro, ignorei as manchetes de jornal e fui olhar os quadros. Madonas e pilares, arcos e laranjeiras, como no dia da criação, mas familiarizados com a dor, ali pendiam, e eu os fitava. "Aqui estamos juntos sem que nada nos perturbe", disse eu. E essa liberdade, essa imunidade pareceram-me uma conquista, e deixaram-me numa tal exaltação que por vezes ainda vou até lá, mesmo agora, trazer de volta a exaltação e Percival. Mas aquilo não durou. Que tormentos nos causa a horrenda atividade do olho da mente – como será que ele caiu, como se parecia, aonde o levaram; homens de tanga puxando cordas; as ataduras e a lama. Depois o terrível golpe na memória, por não ter previsto, por não ter sido prevenido – por eu não ter ido com ele a Hampton Court. Esta pata estendia-se; esta garra me rasgava; não fui com ele. Apesar do seu impaciente protesto de que não fazia mal; por que interromper, por que estragar nosso momento de comunhão ininterrupta?

– Ainda assim, repeti obstinado, não fui, e, expulso do santuário por esses demônios intrometidos, procurei Jinny porque ela tinha um quarto; um quarto com mesinhas, pequenos enfeites espalhados em mesinhas. Lá, confessei com lágrimas – eu não fora a Hampton Court. E ela, recordando outras coisas, para mim ninharias, para ela tormentos, mostrou-me como a vida definha quando há coisas que não podemos partilhar. Logo entrou uma criada com um bilhete, e, quando ela se virou para responder, senti curiosidade de saber o que escrevia, e para quem, e vi a primeira folha tombar sobre a sepultura dele. Nos vi passando para além daquele momento, deixando-o para trás, definitivamente. Depois, sentados lado a lado no sofá, recordamos inevitavelmente o que outros haviam dito: "o lírio do dia é muito mais belo em maio"; comparamos Percival a um lírio – Percival, que desejei que perdesse o cabelo e abalasse autoridades e envelhecesse comigo; ele já estava coberto de lírios.

– Assim passou a sinceridade do momento; tornou-se simbólica; e não pude suportar isso. Cometamos qualquer blasfêmia, de riso ou crítica, em vez de exsudarmos essa seiva de lírio, pegajosa e doce; e cobri-lo de frases, exclamei. Então parti, e Jinny, sem futuro nem especulação, mas respeitando o momento, com perfeita integridade chicoteou seu corpo, empoou o rosto (amei-a por isso) e acenou-me parada na porta, com a mão nos cabelos para que o vento não os despenteasse, gesto pelo qual a respeitei, como se confirmasse nossa resolução – não deixaríamos os lírios crescerem.

– Observei com desencantada lucidez a desprezível falta de identidade da rua; seus pórticos; suas cortinas de janela; as roupas grosseiras, a cupidez e complacência de mulheres fazendo compras; e anciãos tomando ar envoltos em cachecóis; a prudência das pessoas atravessando ruas; a universal determinação de continuar vivendo, quando, na verdade, tolos e imbecis, disse eu, qualquer telha pode cair de um telhado, qualquer carro pode dar uma guinada, pois não há rima nem razão quando um bêbado cambaleia com um porrete na mão – isso é tudo. Eu era como alguém admitido nos bastidores: como alguém a quem se mostra como se produzem os efeitos. Contudo, voltei ao meu próprio aconchegante lar, e a arrumadeira avisou-me que subisse as escadas de meias. A criança dormia. Fui ao meu quarto.

– Não havia espada, coisa alguma com que demolir essas paredes, essa proteção, esse gerar filhos e viver atrás de cortinas, esse tornar-se cada dia mais envolvido e comprometido com livros e quadros? É melhor consumir nossa vida como Louis, desejando perfeição; ou como Rhoda, que nos abandona e passa por nós, voando, em direção ao deserto; ou escolher entre milhões um só, um só como Neville; melhor ser Susan e amar e odiar o calor do sol ou a relva calcinada pela geada; ou ser, como Jinny, honesta e animal. Todos tiveram seu êxtase; seu sentimento comum em relação à morte; algo que lhes servisse de apoio. Então visitei cada um de meus amigos, tentando com dedos inquietos abrir seus cofrezinhos fechados. Fui de um a outro, expondo minha dor – não, não minha dor, mas a incompreensível natureza desta nossa vida – para que a inspecionassem. Algumas pessoas procuram sacerdotes; outras, poesia; eu vou ter com meus amigos, vou procurar meu próprio coração, procuro entre frases e fragmentos algo intacto – eu, para quem não há suficiente beleza na Lua ou árvore; a quem o toque de uma pessoa com outra é tudo, mas que nem isso consegue agarrar, que sou tão imperfeito, tão fraco, tão indizivelmente solitário. Lá estava eu sentado.

– Isso deveria ser um final da história? Uma espécie de suspiro? Um último estremecimento da onda? Um gotejar de água em alguma pia, onde, borbulhando, vai morrer? Deixe-me tocar a mesa – assim – e dessa maneira recobrar a sensação do momento. Um aparador coberto de galheteiros; um cesto cheio de pãezinhos; um prato de bananas – estas são visões reconfortantes. Mas, se não há histórias, que final poderá haver, ou que começo? A vida talvez não seja suscetível de ser tratada como o fazemos ao tentar relatá-la.

Sentados tarde da noite, parece estranho não termos mais controle. Pequenos compartimentos já não são muito úteis. É estranho como a maré da força se retira para algum córrego seco. Sentados sozinhos, parece que fomos gastos; nossas águas mal conseguem rodear debilmente aquela espiga de azevém-do-mar; não podemos alcançar aquele calhau distante para umedecê-lo. Acabou, estamos no fim. Mas, espere – fiquei a noite toda sentado à espera –, mais uma vez um impulso me perpassa; ergo-me, lanço para trás uma franja de alvos respingos; desabo na praia; não posso ser confinado. Quer dizer, fiz a barba e lavei-me; não acordei minha esposa, e tomei café; coloquei meu chapéu, e saí para ganhar a vida. Depois da segunda-feira, vem a terça.

– Mas alguma dúvida permanecia, uma nota de interrogação. Fiquei surpreso, abrindo uma porta, ao encontrar gente ocupada; hesitei, tomando uma xícara de chá, sem saber se dizia leite ou açúcar. E a luz das estrelas tombando, como tomba agora sobre minha mão, depois de viajar milhões e milhões de anos – por um momento recebi um choque gelado por isso –, não mais; minha imaginação é frágil demais. Mas alguma dúvida permanecia. Uma sombra esgueirou-se rápida pela minha mente, como asas de mariposas entre cadeiras e mesas numa sala noturna. Quando, por exemplo, fui naquele verão a Lincolnshire ver Susan, e ela avançou em minha direção através do jardim, com o movimento preguiçoso de uma vela meio inflada, com o movimento balouçante de uma mulher grávida, pensei: "Está continuando; mas por quê?". Sentamo-nos no jardim; carroças da fazenda chegaram transbordantes de feno; era a costumeira confusão campestre de gralhas e pombos; frutos avaliados e recobertos; o jardineiro cavava. Abelhas zumbiam pelos túneis roxos das flores; abelhas aninhavam-se em dourados broquéis de girassóis. Galhinhos eram soprados sobre a relva. Tudo era rítmico e semi-inconsciente, como algo envolto em névoas; para mim, porém, era odioso como a rede prendendo nossos membros em suas malhas, constritora. Ela, que recusara Percival, prestava-se a isso, a esse encobrimento.

– Sentando-me num banco para esperar meu trem, pensei então em como nos rendemos, em como nos submetemos à estupidez da natureza. Diante de mim, florestas cobertas de grossa folhagem verde. E por um toque rápido de aroma ou som num nervo, a velha imagem – os jardineiros varrendo, a dama escrevendo – retomou. Vi as figuras debaixo das faias em Elvedon. Os jardineiros varriam; a dama sentada à mesa escrevia. Mas agora dei a contribuição da maturidade às intuições da infância – saciedade e ruína; a sensação do que há de inevitável em nosso destino; morte; a consciência das limitações; como a vida é mais empedernida do que tínhamos pensado. Pois, quando eu era criança, a presença de um inimigo havia-se declarado; a necessidade de oposição me instigara. Eu me erguera de um salto gritando: "Vamos explorar". O horror da situação terminara.

– Mas que situação havia agora para terminar? Embotamento e ruína. E o que a explorar? As folhas e a floresta não ocultam nada. Se um pássaro se erguesse, eu já não faria um poema – haveria de repetir o que dissera antes. Assim, se eu tivesse uma bengala com a qual apontar as beiras denteadas na curva do ser, esta é a mais baixa; aqui enrosca-se inútil na lama, aonde não chega nenhuma maré, onde me sentei de costas para uma sebe, chapéu sobre os olhos, enquanto os carneiros avançavam implacavelmente naquele seu modo hirto, passo a passo sobre pernas pontudas e duras. Mas, quando se coloca por tempo suficiente uma lâmina cega contra uma pedra de amolar, algo salta uma quina afiada de fogo; assim, segurem-se as coisas habituais contra a ausência de raciocínio, sem objetivo, tudo misturado, e saltarão numa só chama o ódio, o desprezo. Peguei minha mente, meu ser, objeto velho e rejeitado, quase inanimado, e bati com ele nessas quinquilharias, gravetinhos e palhas, pequenos e detestáveis pedaços de destroços, coisas vis, boiando na superfície oleosa. Levantei-me de um salto. Disse: "Lutar! Lutar!" – repeti. É o esforço e a luta, é a guerra perpétua, é o despedaçar e juntar pedaços – esta é a batalha diária, derrota ou vitória, a absorvente perseguição. As árvores, dispersas, ordenavam as coisas; o denso verde das folhas atenuava-se sob uma luz dançarina. Eu os recobri com uma frase súbita. Com palavras, salvei-os da condição amarga.

– O trem chegou. Alongando-se na plataforma, o trem parou. Apanhei meu trem. E assim, estou de volta a Londres, à noite. Como é reconfortante a atmosfera de bom-senso e tabaco; anciãs subindo para a terceira classe com suas cestas; o ruído de quem suga cachimbos; o boa-noite e até amanhã de amigos que se separam em estações à beira do caminho, e depois as luzes de Londres – não o rútilo êxtase da juventude, não aquela bandeira roxa e esfarrapada, mas, ainda assim, as luzes de Londres; duras luzes elétricas, lá em cima nos escritórios; lampiões de rua guarnecendo calçadas secas; cintilações sobre mercados. Gosto disso tudo, quando por um momento consigo rechaçar meu inimigo.

– Também gosto de ver o cortejo da vida passando, num teatro, por exemplo. Cor de barro, terrestre e informe, o animal do campo aqui se ergue, e com infinita ingenuidade e esforço inicia uma batalha contra os verdes bosques e verdes campos e carneiros que, mascando, avançam a passo medido. E naturalmente janelas iluminavam-se nas longas ruas cinzentas; tiras de tapete cortavam o calçamento; ali havia aposentos varridos e enfeitados, fogo, comida, vinho, conversa. Homens com mãos mirradas e mulheres com pagodes de pérola pendentes das orelhas entravam e saíam. Vi os rostos de anciãos vincados de rugas, nos quais a ação do mundo esculpira sulcos e escárnio; beleza tão apreciada que parecia recente, mesmo na velhice; e juventude tão apta para o prazer que o prazer, pensava-se, tem de existir; era como se houvesse relvados levando até o prazer; e o mar há de estar encapelado em pequenas ondas; e os bosques farfalhantes de pássaros coloridos, para a juventude, para a juventude expectante. Lá se encontrariam Jinny e Hal, Tom e Betty; lá fizemos nossas brincadeiras e repartimos nossos segredos; e nunca nos separamos no umbral sem termos combinado novo encontro, em algum outro aposento, conforme sugerissem a ocasião e a época do ano. A vida é agradável; a vida é boa. Depois da segunda-feira vem a terça e segue-se a quarta.

– Sim, mas depois de algum tempo ocorre algo diferente. Pode ser que certa noite algo na aparência da sala, no arranjo das cadeiras, sugira isso. Parece confortável desabar num sofá de canto para olhar, escutar. Depois, dois vultos de costas para a janela aparecem diante dos ramos de uma árvore que se espraia. Com um toque de emoção, sentimos: "Ali há vultos sem feições, trajados de beleza". Na pausa que segue enquanto as vibrações se espalham, a jovem com quem deveríamos estar conversando diz a si mesma: "Ele é um velho". Mas está enganada. Não é a idade; é que a gota tombou; outra gota. O tempo deu outra sacudidela na disposição das coisas. E saímos de rastros do arco de folhas pendentes, para um mundo mais amplo. A verdadeira ordem das coisas – esta é a nossa perpétua ilusão – aparece agora. Assim, por um momento, numa sala de estar, nossa vida se ajusta à majestosa marcha do dia através do céu.

– Foi por essa razão que, em vez de empurrar para a frente meus sapatos de couro e encontrar uma gravata razoável, procurei Neville. Procurei meu mais antigo amigo, que me conhecera quando fui Byron; quando fui o mancebo de Meredith, e também aquele herói de Dostoiévski cujo nome esqueci. Encontrei-o sozinho, lendo. Mesa absolutamente bem-arrumada; cortina metodicamente arranjada; uma espátula de abrir cartas dividindo um livro em francês – ninguém, pensei, ninguém jamais muda a postura na qual o vimos pela primeira vez nem as roupas. Ele está sentado nessa cadeira vestindo as mesmas roupas, desde que nos encontramos pela primeira vez. Aqui havia liberdade; aqui, intimidade; a luz da lareira dividia a maçã redonda da cortina. Aqui conversávamos; sentávamo-nos conversando; passeávamos ociosos por aquela avenida, a avenida que corre sob árvores, sob árvores rumorejantes de folhas grossas, árvores pesadas de frutos que tantas vezes esmagamos juntos com nossos pés, de modo que agora a turfa está nua em torno de algumas daquelas árvores, em torno de certos poemas e peças, nossos textos favoritos – a turfa pisoteada até ficar nua, com nosso andar incessante e desordenado. Se tenho de esperar, leio; se acordo na noite, apalpo a prateleira em busca de algum livro. Inchada, aumentando perpetuamente, existe em minha cabeça uma vasta acumulação de assuntos não registrados. Vez por outra, abro um volume, pode ser Shakespeare, talvez uma anciã chamada Peck; e digo a mim mesmo, fumando um cigarro na cama: "Isto é Shakespeare. Aquilo é a Peck" – com uma segurança de reconhecimento e um choque de consciência interminavelmente deliciosos, embora não possam ser divulgados. Assim partilhávamos nossas Pecks e nossos Shakespeares; comparávamos nossas versões; permitíamos um ao outro essa visão a fim de colocarmos sob uma luz mais adequada nossa própria Peck ou nosso Shakespeare; e depois caíamos num daqueles silêncios que vez por outra se interrompem por raras palavras, como uma barbatana a erguer-se em desertos de silêncio; e depois a barbatana, o pensamento, recaíam nas profundezas, espalhando em tomo uma pequena ondulação de satisfação, de contentamento.

– Sim, mas de repente ouvimos o tiquetaquear de um relógio. Nós, que havíamos estado imersos nesse mundo, tomávamos consciência um do outro. E doloroso. Foi Neville quem mudou nosso tempo. Ele, que estivera pensando com o ilimitado tempo da mente, que num lampejo se estende de Shakespeare até nós, remexeu o fogo e começou a viver com aquele outro relógio, que marca a aproximação de uma pessoa especial. O voo amplo e nobre de seu pensamento encolheu. Ele ficou alerta. Pude vê-lo escutando sons da rua. Percebi como tocava uma almofada. De miríades na raça humana, em todo o passado, ele escolhera uma pessoa, um momento em particular. Ouviu-se um som no vestíbulo. O que ele estava dizendo tremulou no ar como uma chama indecisa. Eu o observei desembaraçar um passo de outros passos; esperar algum sinal particular de identificação, e olhar com a rapidez de uma cobra a maçaneta da porta. (Daí a espantosa acuidade de suas percepções; ele sempre foi treinado por uma só pessoa.) Tão concentrada, uma paixão expulsava outras como matéria estranha de um fluido quieto e cintilante. Tornei-me consciente de minha própria natureza vaga e nebulosa, cheia de sedimentos, cheia de dúvidas, cheia de frases e anotações que fizera em cadernetas. As dobras da cortina tornaram-se hirtas, esculturais; o peso de papel na mesa enrijeceu; os fios da cortina cintilavam; tudo se tornava definido, externo, uma cena da qual eu não participava. Por isso, ergui-me; deixei-o.

– Céus! Como me apanharam, enquanto eu deixava o quarto, as garras daquela antiga dor; o desejo de alguém que não estava lá. De quem? No começo eu não sabia; depois recordei Percival. Havia meses que não pensava nele. Agora, poder rir com ele, rir de Neville, com ele – era isso que eu queria, sairmos juntos de braços dados, rindo. Mas ele não estava lá. O lugar estava vazio.

– É estranho como os mortos saltam sobre nós nas esquinas, ou nos sonhos.

– Essa golfada espasmódica soprando tão áspera e fria sobre mim naquela noite enviou-me através de Londres para visitar outros amigos, Rhoda e Louis, desejoso de companhia, certeza, contato. Enquanto subia as escadas, fiquei pensando em qual seria o relacionamento deles. O que diriam quando estivessem a sós? Imaginei-a inábil com o bule de chá. Ela olhava fixamente sobre os telhados de ardósia – a ninfa da fonte, sempre úmida, obcecada por visões, sonhando. Afastava a cortina para olhar a noite. "Lá longe!", disse ela. "O pântano está escuro sob a Lua." Toquei a campainha; esperei. Talvez Louis derramasse leite num pires para o gato; Louis, cujas mãos ossudas fechavam-se como os lados de um dique, cerrando-se na lenta agonia do esforço sobre um imenso tumulto de águas; que sabia o que fora dito pelos egípcios, pelos hindus, por homens com zigomas salientes e solitários em camisas de lã selvagem. Bati; esperei; não houve resposta. Desci novamente as escadas de pedra. Nossos amigos – quão distantes, mudos, raramente visitados e pouco conhecidos. E eu, também, sou opaco para meus amigos, e desconhecido; um fantasma por vezes avistado, frequentemente invisível. Certamente, a vida é como um sonho. Nossa chama, o fogo-fátuo que dança em poucos olhos, cedo será apagada e fenecerá. Lembrei-me dos meus amigos. Pensei em Susan. Ela comprara campos. Pepinos e tomates amadureciam em suas estufas. O vinhedo morto pela geada do ano passado fazia brotar uma folha ou duas. Pesadamente, ela caminhava com os filhos através de suas pradarias. Andava pelo campo acompanhada de homens de perneiras, apontando, com sua bengala, um telhado, sebes, paredes em mau estado. Os pombos a seguiam, bamboleando, atrás dos grãos que ela deixava cair de seus dedos terrosos e hábeis. "Mas já não me levanto de madrugada", disse ela. Depois Jinny – certamente entretendo algum novo jovem. Chegariam ao momento crítico da conversa habitual. O aposento seria escurecido, cadeiras arranjadas. Pois ela ainda procurava o momento. Sem ilusões, dura e clara como cristal, enfrentava o dia com os seios nus. Deixava que suas pontas a ferissem. Quando a madeixa embranqueceu em sua fronte, ela a enroscou sem medo entre as outras. Assim, quando viessem enterrá-la, nada estaria fora de ordem. Encontrar-se-iam pedaços de fitas enroscados. Mas a porta ainda se abre. Quem entra? Ela pergunta e levanta-se para ir ao encontro dele, preparada como naquelas primeiras noites de primavera, quando a árvore, sob as grandes casas londrinas em que cidadãos respeitáveis iam sobriamente para a cama, não ocultou inteiramente o seu amor; e o rangido dos bondes misturou-se ao seu grito de prazer, e as folhas trêmulas tiveram de sombrear o seu langor, sua deliciosa lassidão, quando desabou apaziguada com toda a doçura de uma natureza satisfeita. Como são raramente visitados nossos amigos, pouco conhecidos – é verdade; e ainda assim, quando encontro um desconhecido e tento expor, aqui nesta mesa, o que chamo de "minha vida", não é para uma vida que olho, ao recordar; não sou uma pessoa; sou muitas; não sei bem quem sou – Jinny, Susan, Neville, Rhoda ou Louis – nem como distinguir minha vida das suas.

– Assim pensei, naquela noite de inícios do outono, quando nos encontramos e mais uma vez jantamos em Hampton Court. No começo nosso desconforto foi considerável, pois àquela altura cada um estava comprometido com uma certa postura, e o outro, vindo pela estrada até o ponto de encontro, vestido assim ou assim, com ou sem bengala, parecia opor-se a isso. Vi Jinny olhando os dedos terrosos de Susan e depois esconder os seus; eu, observando Neville, tão asseado e exato, senti a nebulosidade de minha própria vida, diluída por todas aquelas frases. Então ele começou a jactar-se, pois tinha vergonha de seu quarto, de se dedicar a uma só pessoa e de seu próprio sucesso. Louis e Rhoda, os conspiradores, os espiões à mesa, que tomavam notas, disseram: "Afinal, Bernard bem que pode pedir ao garçom que nos traga pãezinhos – conforme essa capacidade de contato que nos é negada". Por um momento vimos expostos entre nós o cadáver do ser humano completo que não conseguimos ser, mas, ao mesmo tempo, não conseguimos esquecer. Vimos tudo o que poderíamos ter sido; tudo o que tínhamos deixado de ser, e por um momento invejamos o que o outro reivindicara, como crianças, quando o bolo é cortado, o único bolo, contemplando suas fatias diminuírem.

– Contudo, tomamos nossa garrafa de vinho, e sob aquela sedução perdemos nossa hostilidade, e cessamos de fazer comparações. E, no meio do jantar, sentimos espraiar-se em torno de nós o grande negrume do que nos é exterior, daquilo que não somos. O vento e a rápida passagem de rodas tornaram-se o bramido do tempo, e corríamos para onde?

Quem éramos? Por um momento fomos extinguidos, apagando-nos como fagulhas de papel queimado, e as trevas bramiam. Pelo tempo passamos, pela História. Para mim, isso não dura senão um segundo. E termina com um ato de minha vontade. Bato com a colher na mesa. Se pudesse medir coisas com compassos, eu o faria, mas, como minha única medida é a frase, faço frases – nessa ocasião esqueço o quê. Tornamo-nos seis pessoas em uma mesa em Hampton Court. Erguemo-nos e descemos a avenida. No tênue lusco-fusco irreal, espasmodicamente, como o eco de vozes rindo em uma alameda, voltaram-me a alegria e a carne. Diante do portão, diante de algum cedro, vi uma alvura brilhante, Neville, Jinny, Rhoda, Louis, Susan, eu próprio, nossa vida, nossa identidade. O rei Guilherme ainda parecia um monarca irreal com sua coroa de mera fantasia. Mas nós – diante dos tijolos, diante das ramagens, nós seis entre muitos milhões de milhões –, por um momento fora de qualquer imensurável abundância de tempo passado ou futuro, ardíamos ali, triunfantes. O momento era tudo; o momento bastava. E então Neville, Jinny, Susan e eu, como uma onda se quebra, rebentamos, rendemo-nos à folha mais próxima, ao pássaro exato, à criança com um aro, ao cão que salta, ao calor retido nos bosques depois de um dia quente, às luzes enroladas como alvas fitas em águas crespas. Separamo-nos; fomos consumidos na escuridão das árvores, deixando Rhoda e Louis parados no terraço junto à urna.

– Quando retornamos daquela imersão – quão doce, quão profundo! – e chegamos à superfície, e vimos os conspiradores ainda ali postados, foi com alguma compunção. Perdêramos o que havíamos guardado. Interrompêramos algo. Mas estávamos fatigados, e, maus ou bons, cumpridos ou deixados em suspenso, sobre nossos esforços descia um véu nevoento; as luzes baixavam quando paramos por um instante no terraço que dá para o rio. Os barcos a vapor soltavam na margem seus excursionistas; havia uma alegria distante, som de cantigas, como de pessoas acenando com seus chapéus, partilhando uma última canção. O som do coro vinha através das águas, e senti brotar aquele antigo impulso que me empurrou a vida inteira, o de ser lançado acima e abaixo no bramido das vozes de outras pessoas, cantando a mesma canção; jogado acima e abaixo no bramido de uma quase insensata alegria, sentimentos, triunfos, desejos. Mas não agora. Não! Eu não podia recolher-me; não podia distinguir a mim mesmo; não podia evitar que caíssem na água coisas que um minuto atrás me haviam tornado ansioso, divertido, ciumento, vigilante, multidões de coisas. Não conseguia recuperar-me daquele interminável esbanjamento e dissipação, daquele involuntário jorrar e disparar em silêncio debaixo dos arcos da ponte, em torno de um grupo de árvores, ou ilha, onde aves marinhas pousam em estacas sobre a água encrespada, para nos tornarmos ondas – não conseguia recuperar-me daquela dissipação. Assim nos separamos.

– Então era isso, aquele fluir misturado com Susan, Jinny, Neville, Rhoda, Louis, era uma espécie de morte? Uma nova reunião de elementos? Uma alusão ao que estava por vir? A anotação foi rabiscada, o livro fechado, pois sou um estudante intermitente. Não dou minhas lições com hora marcada. Mais tarde, andando por Fleet Street, na hora do movimento maior, lembrei-me daquele momento; dei-lhe continuidade. "Terei de bater para sempre com minha colher na mesa?", indaguei. "Eu não deveria aquiescer também?" Os ônibus estavam trancados; um chegava por trás do outro e parava com um clique, como um elo adicionado numa corrente de pedra. Pessoas transitavam.

– Multidões, carregando pastas executivas, esgueirando-se com incrível celeridade para dentro e para fora, passavam como um rio numa enchente. Passavam bramindo como um trem num túnel. Percebendo minha oportunidade, atravessei; mergulhei numa escura passagem e entrei na barbearia onde cortei o cabelo. Recostei a cabeça para trás e embrulharam-me num lençol. Espelhos me encaravam, e neles pude ver meu corpo manietado, e gente passando; parando, olhando, seguindo indiferente. O cabeleireiro começou a mover sua tesoura. Sentia-me impotente para interromper as oscilações do aço frio. Assim somos cortados e enfileirados, disse eu; assim jazemos lado a lado em campos úmidos, ramos ressequidos ou florescentes. Não mais precisaremos expor-nos ao vento e à neve em sebes nuas; não mais precisaremos manter-nos eretos quando a tempestade sopra nem sustentar erguidos nossas cargas; nem persistir, imúrmures, naqueles dias pálidos em que o pássaro se agacha no ramo e a umidade branqueia a folha. Somos cortados, tombamos. Tornamo-nos parte deste universo insensível que dorme quando somos mais rápidos, e arde vermelho quando dormimos. Renunciamos à nossa estação e agora jazemos achatados, mirrados, tão depressa esquecidos! Depois, vi uma expressão no canto do olho do cabeleireiro, como se algo na rua o interessasse.

– O que interessava ao cabeleireiro? O que o cabeleireiro via na rua? É assim que sou chamado de volta. (Pois não sou místico; há sempre algo que me puxa – curiosidade, inveja, admiração, interesse em cabeleireiros e coisas assim trazem-me à tona.) Enquanto ele escovava os fios de cabelo de meu casaco, tive dificuldade em assegurar-me de sua identidade, e depois, brandindo minha bengala, fui até o Strand, e evoquei, para servir-me de oponente, a imagem de Rhoda, sempre tão furtiva, sempre com medo nos olhos, sempre em busca de algum pilar no deserto, para descobrir aonde fora; ela se matara. "Espere", disse eu, colocando em imaginação (assim nos ligamos aos nossos amigos) o braço no dela. "Espere até esses ônibus passarem. Não atravesse a rua tão perigosamente. Estes homens são seus irmãos." Persuadindo-a, eu também persuadia minha própria alma. Pois isto não é uma vida só; nem sempre sei se sou homem ou mulher, Bernard ou Neville, Louis, Susan, Jinny ou Rhoda, tão estranho o contato de um com o outro.

– Brandindo minha bengala, o cabelo recém-cortado e uma coceira na nuca, passei por todas aquelas bandejas com brinquedos baratos importados da Alemanha que homens expõem na rua em St. Paul – St. Paul, a galinha no choco com asas estendidas, de cuja proteção correm ônibus e torrentes de homens e mulheres na hora do *rush*. Pensei em como Louis haveria de subir aquelas escadas com seu terno elegante, bengala na mão e passo anguloso, atitude meio desligada. Com seu sotaque australiano ("Meu pai, banqueiro em Brisbane"), pensei que ele viria para essas cerimônias com mais respeito do que eu, que ouço há mil anos as mesmas cantigas de ninar. Sempre que entro impressionam-me as rosas polidas; os bronzes lustrados; o oscilar e o salmodiar enquanto a voz de um menino lamenta-se em torno da cúpula como um pombo perdido e errante. O repouso e a paz dos mortos me impressionam – guerreiros em descanso debaixo de seus antigos pendões. Depois zombo dos floreios e dos absurdos de alguma tumba cheia de volutas; e as trombetas e as vitórias e os brasões e a certeza tão sonoramente repetida da ressurreição, da vida eterna. Meu olho errante e inquisidor mostra-me então uma criança varada de terror; um aposentado arrastando os pés; ou as homenagens de exaustas balconistas carregando Deus sabe que dilema em seus pobres peitos magros, para buscarem consolo nesta hora do *rush*. Vagueio e olho e admiro-me, e por vezes, furtivamente, tento elevar-me no raio de luz da oração de alguma outra pessoa, até a cúpula, e para fora, mais além, para onde quer que estejam indo. Mas depois, como um pombo perdido e lamentoso, vejo-me falhar, esvoaçar, descer e pousar em alguma gárgula bizarra, um nariz corroído ou absurda pedra tumular, com humor, com espanto, e novamente observo os turistas passando com seus guias, enquanto a voz do menino se alça para a cúpula, e vez por outra o órgão se abandona a um momento de triunfo, elefantino. Como, indaguei, Louis nos acolheria a todos? Como nos haveria de confinar, de nos tornar um só, com sua tinta vermelha e sua pena de ponta muito fina? A voz enfraquecia na cúpula, chorosa.

– Assim retorno à rua, brandindo minha bengala, olhando bandejas de arame em vitrines, cestos de frutas que cresceram nas colônias, murmurando: Pillicock sentava-se na colina de Pillicock; ou: "Escute, escute, os cães latem"; ou: "Agora recomeça o grande tempo do mundo"; ou: "Venha, venha, morte" – misturando coisas sem sentido com poesia, flutuando na torrente. Há sempre alguma coisa para se fazer a seguir. Terça-feira vem depois da segunda; quarta após a terça. Cada dia espalha a mesma ondulação. O ser vai crescendo em anéis, como uma árvore. Como uma árvore, há folhas caindo.

– Pois um dia, quando me debruçava num portão que levava para um campo, o ritmo cessou; os versos e as cançõezinhas, o absurdo e a poesia. O espaço da minha mente ficou claro. Vi através das densas folhas do hábito. Debruçado no portão arrependi-me de tanta desordem, tanta irrealização e tanta separação, pois não se pode atravessar Londres para ver um amigo, com a vida tão cheia de compromissos; nem pegar um navio para a Índia e ver um homem nu a flechar um peixe em águas azuis. Eu disse que a vida fora imperfeita, uma frase inacabada. Para mim, aceitando rapé como aceito de qualquer caixeiro-viajante que encontro num trem, foi impossível manter a coerência – aquele senso das gerações, de mulheres carregando cântaros vermelhos até o Nilo, do rouxinol que canta entre conquistas e migrações. Foi um empreendimento vasto demais, disse eu, e como agora posso continuar erguendo perpetuamente meu pé e escalar a escada? Falei comigo mesmo como falaríamos a um companheiro com o qual estivéssemos viajando até o Polo Norte.

– Falei para aquele "eu" que estivera comigo em muitas e incríveis aventuras; o homem fiel que fica sentado junto ao fogo quando já fomos dormir, remexendo as cinzas com um atiçador; o homem que foi construído tão misteriosamente e com súbitos acréscimos de ser, num bosque de faias, sentado junto a um salgueiro sobre um banco, debruçado no parapeito em Hampton Court; o homem que se recuperou em momentos de emergência, e que batia com a colher na mesa, dizendo: "Não aquiescerei".

– Este "eu", agora quando me debrucei no portão olhando os campos que rolam ondas de cor abaixo de mim, não deu resposta. Não levantou qualquer objeção. Não tentou fazer frase alguma. Não cerrou o punho. Esperei. Escutei. Nada vinha, nada. Então gritei, numa súbita convicção de estar completamente abandonado: agora nada existe. Nenhuma barbatana rompe o deserto desse mar imensurável. A vida me destruiu. Nenhum eco responde quando falo, nenhuma palavra alterada. Isto é mais verdadeiramente morte do que a morte de amigos, do que a morte da juventude. Sou o vulto enrolado num lençol no barbeiro, ocupando apenas este espaço.

– A cena abaixo de mim definhou. Como num eclipse, quando o sol se apaga e deixa mirrada, frágil, falsa, a terra que floresce na plenitude da folhagem estival. Também vi numa estrada sinuosa, na dança do pó, os grupos que costumávamos formar, reunindo-se, comendo juntos, encontrando-se neste ou naquele quarto. Vi minha própria infatigável atividade – como corri de um lado para outro, agarrei e carreguei, viajei e retomei, participei desse ou daquele grupo, aqui beijado, ali rejeitado; sempre fui persistente na perseguição de algum objetivo incomum, com meu nariz no solo como um cão farejador; ocasionalmente movendo a cabeça, ocasionalmente dando um grito de alegria, de desespero, depois novamente com meu nariz seguindo um faro. Que desordem – que confusão; aqui nascimento, ali morte; suculência e doçura; esforço e agonia; e eu correndo para um lado e para outro. Agora, estava acabado. Eu não tinha mais apetites a saciar; não tinha mais dardos para envenenar pessoas; nada mais de dentes afiados e mãos agarrando, nem desejo de apalpar a pera e a uva, nem o sol refletindo-se no muro do pomar.

– Os bosques se desvaneceram; a terra era um deserto de sombras. Nenhum som rompia o silêncio da paisagem de inverno. Nenhum galo cantava; nenhuma fumaça se erguia; nenhum trem se movia. Eu disse: Um homem sem um "eu". Um corpo pesado debruçando-se num portão. Um homem morto. Com um desespero desapaixonado, com absoluto desencanto, observava o pó dançar; minha vida, as vidas de meus amigos, e aquelas presenças fabulosas, homens com vassouras, mulheres escrevendo, o salgueiro junto ao rio – nuvens e fantasmas também feitos de pó, de pó que se transmutava, assim como nuvens perdem e ganham e assumem ouro e vermelho e perdem seus ápices e ondeiam para cá e para lá, mutáveis, vãs. Eu, carregando um caderninho de notas, fazendo frases, registrara meras mudanças; sombras; eu fora diligente anotando sombras. Como posso prosseguir agora, perguntei, sem um "eu", sem peso e sem visão, através de um mundo sem peso, sem ilusão?

– O peso do meu desespero abriu o portão no qual me debruçava, e me empurrou, a mim, um homem idoso, um homem pesado, de cabelos grisalhos, através do campo incolor, do campo vazio. Não mais ouvir ecos, não mais ver fantasmas, não conjurar mais oponente algum, mas andar sempre sem sombra, não deixando marca alguma sobre a terra morta. Se mesmo ali tivesse havido carneiros mascando, empurrando um pé atrás do outro, ou um pássaro, ou um homem enfiando uma pá na terra, se tivesse havido uma sarça para me fazer tropeçar, ou uma vala de folhas úmidas onde cair – mas não, a melancólica vereda levava, através da planura, para dentro de mais inverno e palidez e à visão monótona da mesma paisagem.

– Como então retorna a luz ao mundo depois do eclipse do Sol? Miraculosamente. Debilmente. Em faixas tênues. Pende como uma gaiola de vidro. É um aro que pode ser partido por uma dissonância mínima. Aqui, uma fagulha. No momento seguinte, um esguicho escuro. Depois, um vapor, como se a terra estivesse inspirando e expirando, um, dois, pela primeira vez. Então alguém caminha com uma luz verde debaixo daquela estagnação. Depois um espectro branco se evola. Os bosques pulsam azuis e verdes, e gradualmente os campos sugam o vermelho, o dourado, o castanho. Subitamente um rio lampeja numa luz azul. A terra absorve cor como uma esponja lentamente sorve água.

Assume peso; arredonda-se; pende; instala-se e oscila sob nossos pés.

– Assim a paisagem retornava a mim; assim avistei campos rolando a meus pés em ondas de cor, mas agora com esta diferença: eu via, mas não era visto. Caminhava sem sombra; chegava sem ser anunciado. Haviam caído de mim o velho manto, a antiga resposta; a mão oca que responde aos sons com batidas. Tênue como um fantasma, sem deixar traço por onde caminhava, apenas percebendo as coisas, andei sozinho num mundo novo, jamais trilhado; roçando flores novas, incapaz de falar a não ser com palavras de criança, de uma única sílaba; sem a proteção das frases, eu que fiz tantas; sem companhia, eu que sempre andei com os da minha espécie; solitário, eu que sempre tive alguém com quem partilhar a grelha vazia ou o armário de louças com sua alça pendente de ouro.

– Mas como descrever um mundo visto sem um eu? Não há palavras. O azul, o vermelho – mesmo eles distraem, mesmo eles ocultam com sua densidade, em vez de deixarem passar a luz. Como descrever ou dizer qualquer coisa novamente em palavras articuladas? – exceto que também esta cena se desvanece, sofre uma transformação gradual, torna-se, mesmo no curso de um breve passeio, habitual. A cegueira retorna quando nos movemos, e uma folha repete outra. A beleza retorna quando a olhamos, com toda a sua cadeia de frases-fantasmas. Inspiramos e expiramos um sopro substancial; lá embaixo, no vale, o trem vara os campos, com suas cabeleiras de fumaça.

– Mas por um momento eu estive sentado na turfa, em algum lugar acima do fluxo do mar e do som das florestas, vi a casa, o jardim e as ondas a se quebrar. A velha ama que vira as páginas de um livro de figuras parara, dizendo: "Olhe. Isto é verdade".

– Assim eu pensava quando vinha por Shaftesbury Street esta noite. Pensava naquela página do livro de figuras. E, quando encontrei você no lugar em que penduramos nossos casacos, disse a mim mesmo: "Não importa a quem encontro.

Toda essa pequena aventura de 'ser' terminou. Não sei quem é este aí nem me interesso; jantaremos juntos". Então pendurei meu casaco, bati no seu ombro e disse: "Sente-se comigo".

– Agora, a refeição terminou; estamos rodeados de cascas e migalhas de pão. Tentei quebrar este ramo e dá-lo a você; mas, se há substância ou verdade nisso, não sei. Nem sei exatamente onde estamos. Sobre que cidade olha este trecho de céu? É em Paris, é em Londres que estamos sentados, ou em alguma cidade sulina de casas de um rosa desbotado debaixo de ciprestes, debaixo de altas montanhas, onde as águias voam? Neste momento, não sei ao certo.

– Começo agora a esquecer; começo a duvidar da fixidez das mesas, da realidade do aqui e agora, a bater de leve os nós dos dedos na beira de objetos aparentemente sólidos e a dizer: "Vocês são rijos?". Vi tantas coisas diferentes, fiz tantas frases diferentes. Perdi, no processo de comer e beber e esfregar meus olhos em superfícies, aquela concha tênue e dura que envolve a alma, que, na juventude, nos encerra – daí a ferocidade, os golpes dos implacáveis bicos da juventude. E agora indago: "Quem sou eu?". Falei em Bernard, Neville, Jinny, Susan, Rhoda e Louis. Sou todos eles? Sou um e distinto? Não sei. Sentamo-nos aqui juntos. Mas agora Percival está morto, e Rhoda está morta; estamos divididos; não estamos aqui. Ainda assim não encontro qualquer obstáculo a nos separar. Não há divisão entre mim e eles. Enquanto falava, eu sentia: – "Sou vocês". A diferença à qual damos tanta importância, identidade que valorizamos tão febrilmente, estava superada. Sim, desde que a velha sra. Constable ergueu sua esponja e, despejando água cálida, me cobriu de carne, tenho sido sensível, perceptível. Aqui na minha fronte está o golpe que recebi quando Percival tombou. Aqui na minha nuca está o beijo que Jinny deu em Louis. Meus olhos enchem-se com as lágrimas de Susan. Vejo ao longe, tremulando como um fio de ouro, o pilar que Rhoda avistou, e sinto o passar do vento no voo dela, quando saltou.

– Assim, quando configuro aqui nesta mesa, entre minhas mãos, a história de minha vida, e a coloco diante de você, como uma coisa completa, preciso recordar coisas distantes, profundas, mergulhadas nesta ou naquela vida, e tomadas parte dela; sonhos também, coisas que me rodeiam e os habitantes, aqueles espectros antigos e semiarticulados que continuam assombrando dia e noite; que se remexem no sono, emitem seus gritos confusos, estendem seus dedos fantasmagóricos e me agarram quando tento escapar – sombras de pessoas que eu poderia ter sido; "eus" não nascidos. Há também o velho bruto, o selvagem, o homem peludo que mete os dedos nos novelos das entranhas; e gorgoleja e arrota; cuja fala é gutural, visceral – ele está aqui, agachado dentro de mim. Esta noite banqueteou-se com codornas, salada e pão doce. Agora segura na pata um cálice de fino conhaque antigo. Ele é malhado e ronrona e lança cálidos calafrios pela minha espinha quando bebo. É verdade, lava suas mãos antes do jantar, mas ainda são peludas. Abotoa calças e coletes, mas eles contêm os mesmos órgãos. Corcoveia quando o faço esperar pelo jantar. Está perpetuamente fazendo caretas, apontando, com seus gestos meio idiotas de voracidade e avidez, aquilo que deseja. Por vezes, tenho grande dificuldade em controlá-lo. Esse homem peludo, simiesco deu sua contribuição à minha vida. Deu às coisas verdes um lustro mais verde, segurou atrás de cada folha sua tocha com chamas rubras, sua fumaça densa e forte. Iluminou até mesmo o fresco jardim. Brandiu sua tocha em ruelas sombrias, onde moças subitamente parecem brilhar com uma translucidez rubra e inebriante. Ah, ele ergueu bem alto sua tocha! E me guiou para as danças selvagens!

– Mas não mais. Agora, esta noite, meu corpo se ergue, camada sobre camada, como algum templo cheio de frescor cujo assoalho é coberto de tapetes, e murmúrios se erguem, e os altares estão em pé fumegando; mas mais acima, aqui na minha serena cabeça, chegam apenas finos sopros de melodia, ondas de incenso, enquanto o pombo perdido chora, as bandeiras tremulam sobre sepulturas e o ar escuro da meia-noite sacode árvores fora das janelas abertas. Quando baixo os olhos dessa transcendência, como são belas até as esfareladas relíquias do pão! Que simétricas espirais formam as cascas de pera – quão tênues, pintalgadas como os ovos de alguma ave marinha. Até os garfos hirtos lado a lado parecem lúcidos, lógicos, exatos; e os chifres dos pãezinhos que deixamos estão vítreos, amarelados, rijos. Eu até poderia adorar minha mão, com seu leque de ossos enlaçados pelas misteriosas veias azuis e sua espantosa aparência de aptidão, flexibilidade e habilidade de enroscar-se docemente ou subitamente esmagar – sua infinita sensibilidade.

– Imensuravelmente receptivo, contendo tudo, fremindo de plenitude, mas claro e contido – assim é meu ser, agora que o desejo não mais o precipita para fora, para longe; agora que a curiosidade já não o pinta em mil cores. Jaz no fundo, sem marés, imune, agora que está morto, o homem a quem chamei "Bernard"; o homem que guardava no bolso um caderno no qual tomava notas – frases para a Lua, anotações de traças; como as pessoas se pareciam, viravam, deixavam cair suas pontas de cigarro; na letra "B", pó de asas de borboleta, na "M", maneiras de nomear a morte. Mas, agora, trata-se de deixar a porta aberta, a porta de vidro que girará para sempre nos gonzos. Deixar vir uma mulher, deixar sentar-se um rapaz em traje de festa, com seus bigodes; existe alguma coisa que essas pessoas possam dizer-me? Não! Sei tudo isso também. E, se ela de repente se levanta e sai, digo: "Minha cara, você já não faz com que meu olhar a siga". O choque da onda desabando, que soou durante minha vida inteira, que me acordava para que eu visse a alça de ouro do armário, já não faz vibrar o que seguro em minhas mãos.

– Assim, agora, assumindo o peso do mistério das coisas, eu poderia andar como um espião sem deixar este lugar, sem me mover em minha cadeira. Posso visitar as fímbrias remotas das terras ermas onde o selvagem senta-se junto à fogueira. O dia nasce; a jovem ergue até a fronte as joias aquosas de coração de fogo; o Sol lança seus raios diretamente sobre a casa adormecida; as ondas aprofundam seu ritmo; jogam-se na praia; saltam negros seus respingos; deslizando, elas circundam o barco e o azevém-do-mar. Os pássaros cantam em coro; túneis fundos correm entre caules de flor; a casa alveja; aquele que dorme estende o corpo; gradualmente tudo se move. A luz inunda o aposento e faz recuar sombra atrás de sombra e elas ficam pendentes, inescrutáveis, dobradas em pregas. O que contém a sombra central? Algo? Nada? Não sei.

– Ah, mas seu rosto existe. Percebo seu olhar. Eu, que me julgara tão vasto, um templo, uma igreja, um universo inteiro, não confinado, capaz de estar em toda parte na fímbria das coisas e também aqui, agora não sou senão isto que você enxerga – um homem idoso, um tanto pesado, grisalho nas têmporas, que (vejo-me no espelho) apoia um cotovelo na mesa e na mão esquerda segura um cálice de conhaque antigo. Foi este o golpe que você me infligiu. Choquei-me com a caixa de correspondência. Cambaleio de um lado para outro. Ponho as mãos na cabeça. Meu chapéu caiu – deixei cair minha bengala. Fiz um papelão e todos os que passam riem-se de mim com razão.

– Deus, como a vida é essencialmente odiosa! Que truques sujos faz conosco; num momento estamos livres; no outro, é isto. Aqui estamos outra vez entre migalhas de pão e guardanapos sujos. A gordura começa a endurecer naquela faca. Desordem, sordidez e corrupção nos rodeiam. Colocamos em nossas bocas cadáveres de aves mortas. Temos de construir com essas migalhas gordurosas, babando em guardanapos e pequenos cadáveres. Tudo sempre recomeça; sempre existe o adversário; olhos encontrando nossos olhos; dedos beliscando os nossos; o esforço aguardando. Chame o garçom. Pague a conta. Temos de nos arrancar de nossas cadeiras. Temos de encontrar nossos casacos. Temos de ir. Temos, temos, temos – palavra detestável. Mais uma vez eu, que me julgava imune, que disse: "Agora estou livre de tudo", vejo que a onda me cobre, vira-me de cabeça para baixo, espalha minhas posses, obrigando-me a apanhar, reunir, ajuntar, a somar minhas forças, a erguer-me e defrontar o inimigo.

– Estranho que nós, capazes de padecer tanto sofrimento, causemos tanto sofrimento. Estranho que o rosto de uma pessoa que mal conheço, exceto por julgar que nos encontramos alguma vez num corredor, em um navio que ia para a África – mero esboço de olhos, faces, narinas –, tenha poder de me infligir este insulto. Você olha, come, sorri, entedia-se, fica satisfeito, aborrecido – é tudo que sei. Mas esta sombra que esteve sentada a meu lado por uma hora ou duas, essa máscara da qual espreitam dois olhos, tem o poder de me levar para trás, de me inserir entre todos aqueles outros rostos, de me trancar num aposento quente; de me fazer colidir como uma mariposa entre a chama de uma vela e outra.

– Mas espere. Enquanto somam a conta atrás do balcão, espere um momento. Agora que me vinguei de você pelo golpe que me fez cambalear entre migalhas e cascas e velhas lascas de carne, registrarei, em palavras de uma sílaba, o modo como, também debaixo do seu olhar, com aquela minha compulsão, começo a perceber isto, aquilo e outras coisas mais. O relógio tiquetaqueia; a mulher espirra; o garçom chega – há um encontro gradual, uma reunião, uma aceleração, uma unificação. Ouça: um apito soa, rodas disparam, a porta range nos gonzos. Recupero a consciência da complexidade e da realidade e da luta, pelo que lhe agradeço. E com alguma compaixão, alguma inveja e muita boa vontade, pego sua mão e lhe desejo boa-noite.

– Deus seja louvado pela solidão! Agora, estou sozinho. Aquela pessoa quase desconhecida foi-se para apanhar algum trem, para pegar algum carro, para ir a algum lugar ver alguém que não conheço. O rosto que me fitava se foi. A pressão foi removida. Aqui há xícaras de café vazias. Aqui há cadeiras viradas, mas ninguém senta nelas. Aqui há

mesas vazias e ninguém mais chegando para jantar nelas esta noite.
— Agora, quero entoar minha canção de glória. Deus seja louvado pela solidão. Quero ficar sozinho. Quero pegar e jogar fora este véu do ser, esta nuvem que muda com o último sopro, dia e noite, e toda noite e todo dia. Enquanto estive sentado aqui, estive mudando. Observei o céu mudar. Vi nuvens cobrirem as estrelas, depois libertarem as estrelas, depois cobrirem as estrelas outra vez. Agora já não contemplo sua mutação. Agora ninguém me vê e já não mudo. Deus seja louvado pela solidão que removeu a pressão do olho, a solicitação do corpo, e toda a necessidade de mentiras e de frases.
— Meu caderno, atulhado de frases, caiu no chão. Jaz debaixo da mesa, para ser varrido por alguma arrumadeira quando chegar cansada ao amanhecer, procurando farrapos de papel, velhas passagens de bonde, e, aqui ou ali, um bilhete amassado numa bolinha e largado com toda essa desordem para ser varrido. Qual a frase para a Lua? E a frase para o amor? Com que nome devemos designar a morte? Não sei. Preciso de uma linguagem reduzida como a dos amantes, palavras de uma sílaba como a que as crianças falam quando entram no quarto e encontram sua mãe costurando e apanham um pedacinho de lã colorida. Uma pluma ou uma tira de *chintz*. Preciso de um uivo; um grito. Quando a tempestade vara o charco e passa por cima de mim, deitado na vala sem ser notado, não preciso de palavras. De nada que seja exato. De nada que baixe com todos os seus pés no chão. De nenhuma daquelas ressonâncias e adoráveis ecos que se quebram e repicam de nervo em nervo em nossos peitos, formando música selvagem e frases falsas. Acabei com as frases.
— Quão melhor é o silêncio; a xícara de café, a mesa. Quão melhor é sentar-me sozinho como a solitária ave marinha que abre suas asas sobre a estaca. Deixem-me ficar sentado aqui para sempre com coisas nuas, essa xícara de café, esta faca, este garfo, coisas em si, eu mesmo sendo eu mesmo.

Não venham preocupar-me com suas alusões a que é tempo de fechar a casa e partir. Eu daria de boa vontade todo o meu dinheiro para que vocês não me perturbassem, mas me deixassem ficar aqui sentado, para sempre, silencioso e só.

— Mas agora o chefe dos garçons, que terminou sua refeição, aparece e franze a testa; pega do bolso o cachecol e ostensivamente se prepara para partir. Eles têm de partir; têm de fechar os postigos, têm de dobrar as toalhas de mesa e passar um pano úmido debaixo das mesas.

— Malditos sejam. Embora tenha interrompido minha ligação com todas as coisas, preciso levantar-me à força e encontrar o casaco que me pertence; tenho de enfiar os braços nas mangas; tenho de me abrigar contra o ar da noite e partir. Eu, eu, eu, cansado como estou, desgastado como estou, quase consumido de tanto esfregar o nariz na superfície das coisas, até mesmo eu, um homem idoso que vai ficando um tanto pesado e não gosta de fazer esforço, tenho de me obrigar a partir e pegar algum último trem.

— Mais uma vez, vejo diante de mim a rua costumeira. O dossel da civilização apagou-se. O céu está escuro como um osso de baleia polido pelo tempo. Mas no céu uma claridade, como de lâmpadas ou da madrugada. Uma espécie de movimento — pardais chilreando em algum lugar nos plátanos. Há uma sensação de irrupção do dia. Não chamarei a isso madrugada. O que é a madrugada na cidade para um homem idoso parado na rua, erguendo o olhar um tanto atordoado para o céu? A madrugada é uma espécie de caiação do céu; uma espécie de renovação. Outro dia; outra sexta-feira; outro 20 de março, janeiro ou setembro. Outro despertar geral. As estrelas se afastam e se extinguem. As dobras se aprofundam entre as ondas. Uma membrana de nevoeiro adensa-se nos campos. Um rubor se concentra nas rosas, mesmo na pálida rosa que pende junto à janela do quarto de dormir. Um pássaro trina. Moradores de chalés acendem suas velas matinais. Sim. Esta é a eterna renovação. O incessante erguer-se e cair, e cair e erguer-se outra vez.

– E também dentro de mim a onda se ergue. Cresce; arqueia o dorso. Mais uma vez tenho consciência de um novo desejo, algo que sobe por baixo de mim, como o altivo cavalo cujo cavaleiro primeiro o instiga, depois o puxa para trás. Que inimigo percebemos agora a avançar contra nós, você a quem cavalgo agora, parados aqui, escarvando este trecho do calçamento? É a morte. A morte é o inimigo. É contra a morte que cavalgo com minha lança erguida e meu cabelo voando atrás de mim, como o de um jovem, como o de Percival, quando galopava na Índia. Cravo as esporas em meu cavalo. Vou lançar-me contra ti, imbatível e inflexível, ó, morte!

As ondas quebraram na praia.

grupo novo século

Compartilhando propósitos e conectando pessoas
Visite nosso site e fique por dentro dos nossos lançamentos:
www.novoseculo.com.br

‹ns

- facebook/novoseculoeditora
- @novoseculoeditora
- @NovoSeculo
- novo século editora

gruponovoseculo.com.br

Edição: 2
Fonte: IBM Plex Serif